Über das Buch

Es ist Dirk Omlors Geschichte seiner Online-Partner-suche zwischen 2009 und 2011. Darin geht es um launische Lehrerinnen, humpelnde Hausfrauen, kesse Krankenschwestern, eine schreiende Schimpfwortfetischistin, süße Sirenen, grandiose Gestaltwandlerinnen, rabiate Rollenspiele, eine satanistische Sektenbraut und schöne Scheinehen. Außerdem um einen Hamster, Urzeitkrebse, Eierlikör, Sex und wahre Liebe. Klingt gut? Ist es auch!

Über den Autor

Dirk Omlor, geboren 1969, aufgewachsen im saarländischen Homburg, ist Journalist, Zauberkünstler und Comedian. Der Diplom-Ingenieur für Brauwesen schreibt seit über 20 Jahren als Fachredakteur über den deutschen Biermarkt. Seit seiner Kindheit ist die Zauberkunst seine große Leidenschaft. Vor gut zehn Jahren entwickelte Dirk Omlor seine saarländische Bühnenfigur Rudi Lauer, mit der er mit Comedy und Illusionen begeistert. In seinem ersten Buch erzählt Dirk Omlor von seiner Partnersuche im Internet, von seinem irren Trip beim Online-Dating.

Mehr über Dirk Omlor unter: **www.dirk-omlor.de**

Dirk Omlor

Ein Hamster gegen Einsamkeit

Mein irrer Trip beim Online-Dating

www.tredition.de

© 2021 Dirk Omlor

Verlag und Druck:
tredition GmbH, Halenreie 40-44, 22359 Hamburg

Umschlaggestaltung: Sabine Kerner

Umschlagfoto: AdobeStock/Johannes Menge

ISBN
Paperback: 978-3-347-40801-2
Hardcover: 978-3-347-40802-9
e-Book: 978-3-347-40803-6

Alle geschilderten Ereignisse in diesem Buch beruhen auf wahren Begebenheiten. Lediglich die zeitliche Reihenfolge sowie die Namen und Orte wurden geändert. Jede Übereinstimmung mit real existierenden Personen ist nicht beabsichtigt und wäre rein zufällig.

Vorwort

Liebe Leserinnen, liebe Leser,

eigentlich mag ich keine Vorwörter. Doch eines sollten Sie vor dem Lesen des Buches wissen:

Ich habe lange gezögert, ob ich aus meinen Tagebucheinträgen von damals ein Buch schreiben soll. Ob ich Ihnen die persönlichen Erfahrungen und intimen Momente meiner Online-Partnersuche erzählen soll. Ich fragte mich außerdem: Passt so ein Buch noch in die Zeit? In einer Zeit, in der das Gendern allgegenwärtig ist, schreibe ich, dass es an den Frauen lag, dass Amors Pfeil mich ständig verfehlte. Meine eigenen Macken lasse ich einfach unter den Tisch fallen, die kommen quasi nicht vor. Dabei habe ich wirklich genügend, fragen Sie mal meine Frau...

Hätte ich nach den jeweiligen Dates die Frauen interviewt und diese Eindrücke ebenfalls verarbeitet, wäre das Buch objektiver geworden. Da ich aber damals lediglich für mich ein Tagebuch führte, bleibt es meine subjektive Geschichte. Doch ich versichere Ihnen: Die Begegnungen mit den Frauen waren wirklich so, wie ich sie schildere. Ich habe nicht übertrieben. Im Gegenteil: Ich habe sogar einiges weggelassen, das so skurril war, dass Sie mir nicht glauben würden.

Von meinen damaligen Erlebnissen habe ich bislang nur meinen besten Freunden erzählt. Selbst meine Frau erfuhr davon zum ersten Mal aus dem Manuskript. Mit den Menschen, mit denen ich solche intimen Details teile, bin ich normalerweise per Du. Ich habe mich dazu entschlossen, bei Ihnen keine Ausnahme zu machen. Deshalb werden auch Sie in diesem Buch geduzt. Begleiten Sie mich also als Freundin oder Freund auf meinem irren Trip beim Online-Dating.

Für Annika und Elina,
meine allergrößten Goldschätze

„Das Balzverhalten erwachsener Menschen ist interessanter als so mancher glaubt"

Die Ärzte

Kapitel 1

Meine neue Welt

Januar 2009

Seit zwei Jahren bin ich nun getrennt. Wieder Single. Nach 14 Jahren Ehe ein Leben ohne Kompromisse. Drei Zimmer, Küche, Bad.

Anfangs genoss ich die Freiheit. Doch das hielt nicht lange. Der Alltag holte mich schneller ein als mir lieb war. Ich fühlte mich einsam. Kein Wunder: Nie zuvor hatte ich allein gelebt. Bis zu meinem 15. Lebensjahr zuhause, danach im Internat mit Klassenkameraden, anschließend Zivildienst und wieder bei meiner Mutter. In dieser Zeit lernte ich meine spätere Frau kennen. Wir zogen zusammen in eine kleine Wohnung in der Nähe von München, ich studierte. Dann Hochzeit, erster Job, Umzug, erstes Kind, ein Mädchen, glücklich. Zweiter Job, Umzug, zweites Kind, wieder ein Mädchen, glücklich. Es war ein aufregendes und temporeiches Leben.

Dann: Trennung, Scheidung und zum ersten Mal allein.

Vor wenigen Tagen mein 40. Geburtstag: Ein grauer Dienstag im Januar. Ich denke über mein Leben nach. Blicke zurück, schaue nach vorne. Bilanz: Ich bin gesund, habe einen guten Job und leiste mir hin und wieder ein wenig Luxus. Das Wichtigste: Ich habe zwei wundervolle Kinder, 9 und 5 Jahre alt, die jedes zweite Wochenende bei mir sind. Dann bin ich glücklich. Und traurig, wenn ich die Mädchen sonntagabends wieder nachhause bringe. Danach fühle ich mich noch einsamer. In einem Lied von Heinz Rudolf Kunze heißt es zwar „Abschied muss man üben, sonst fällt er viel zu schwer", doch dem muss ich widersprechen. Ich übe. Vergebens. Die Leere, die bleibt, wenn sie weg sind, bedrückt mich jedes Mal sehr.

Ich versuche, mir nichts anmerken zu lassen, doch irgendwie spüren Kinder so etwas. Deshalb haben sie mich eines Tages dazu überredet, ihnen einen Hamster zu kaufen. Wie sie mir heute erzählen, nur, damit ich in der Zeit, in der sie nicht da sind, nicht einsam bin. Beim Schreiben dieser Zeilen bin ich wieder gerührt. Ein Hamster gegen Einsamkeit, wie süß.

Er hieß Eddi und wir kauften ihn nicht im Baumarkt oder in der Zoohandlung, sondern bei einer Züchterin. Ja, Du hast richtig gelesen: bei einer Züchterin. Ich hatte mich vorab umfassend informiert und wollte die artgerechte Hamsterzucht unterstützen. Das ist eine meiner Marotten. Ich gebe es zu: Ich bin bei solchen Dingen wenig spontan. Bevor ich mir etwas anschaffe, informiere ich mich sehr gründlich darüber. Ich besorge mir Bücher zum Thema, kaufe Zeitschriften, schaue Videoclips und lese Testberichte. Es läuft nicht nach dem Motto: Kommt Kinder, wir fahren zur Tierhandlung und kaufen uns einen Hamster. Nein: Es besteht die Gefahr, dass die Kinder bereits erwachsen sind, bis der Hamster endlich einzieht.

Bei Eddi ging es schneller. Ich erkundigte mich über Hamster und kaufte einen Käfig. Einen riesigen Käfig. Genauer: ein Terrarium, einen Meter tief, zwei Meter breit. Ein Nager-Paradies, mit einer Ausstattung, von der alle Hamster träumen: Stroh, Sand, Höhle, Kletterzeugs und ein Laufrad der Luxusklasse. Mit einem sehr großen Durchmesser, damit der Rücken meines kleinen Freundes beim Laufen gerade bleibt. Ein Muss, wie ich gelesen hatte.

Jetzt fehlte nur noch der Hamster. Mit einer Züchterin aus dem Rhein-Main-Gebiet hatte ich Kontakt aufgenommen. Am Telefon nahm sie mich ins Kreuzverhör, überzeugte sich, dass es dem Tier bei mir auch gut gehen würde. Danach waren wir uns einig. Sie erklärte mir, der Hamster sei aus dem E-Wurf und ich müsste ihm deshalb einen Namen geben, der mit „E" beginnt. Ich stimmte zu.

„Sollen wir ihn Ernst nennen?", frage ich die Mädchen, als ich sie abends ins Bett bringe. „Papa, so heißt kein Hamster", protestieren sie.

„Erich vielleicht? Oder Egon oder Erwin?"

„Paaaapaaa!"

„Edelbert?", frage ich und grinse.

„Eeeeedelbert, mein Eeeeedelbert", sagt die Große. „Wie im Immenhof-Film."

Du musst wissen, den haben wir uns schon öfter zusammen angeschaut. Sonntagsfilme nenne ich sie, die alten Schinken, die ich ab und zu an verregneten Sonntagnachmittagen mit ihnen gucke. Dabei essen wir Kuchen und lümmeln uns aufs Sofa. Herrlich! Meine Kinder mögen die alten Filme mit Heinz Rühmann, Heinz Erhardt oder Louis de Funès genauso sehr wie ich. Die Immenhof-Filme gefallen ihnen aber besonders gut. Pferde und Ponys eben.

Wir grübeln weiter über einen Namen und mir fällt Eddi Arent ein, den ich auch immer sehr mochte. „Was haltet ihr von Eddi?" Beinahe gleichzeitig fangen beide an zu hüpfen und rufen: „Jaaa, jaaa, Eddi ist toll!" Dabei wedelt die Kleine mit den Armen.

„Also gut, dann heißt er Eddi. Und jetzt ab ins Bett." Ich gebe ihnen einen Gutenachtkuss und stelle wie immer die gleiche Frage: „Hab' ich euch eigentlich schon einmal gesagt, dass ihr meine allergrößten Goldschätze seid?"

„Jaaaa, Papa, schon tausend Mal!", rufen sie.

„Ehrlich, da kann ich mich gar nicht dran erinnern." Wir lachen und ich mache das Licht aus.

Am nächsten Morgen fahren wir in eine kleine Ortschaft in der Nähe von Mainz, um Eddi abzuholen. Als uns die Züchterin die Tür öffnet, wird klar: Nicht nur Hund und Herrchen können sich optisch annähern, das geht auch bei anderen Vierbeinern. Vor uns steht eine kleine Frau, um die 60, mit der Statur eines Goldhamsters. Auch ihr Gesicht hat sich den Nagern angepasst: Hamsterbacken, -augen und -

zähne. Mit ihrer Brille sieht sie aus wie eine Hamster-professorin, es fehlt nur noch der weiße Laborkittel. Es ist gruselig und lustig, und wir lachen uns heute noch schlapp, wenn wir davon erzählen.

Eddi zog noch am selben Abend bei mir ein. Ins Arbeitszimmer. Dort brachte er das riesige Laufrad jede Nacht zum Quietschen. Bis an mein Bett drang das schrille Geräusch. Hätte ich vorher gewusst, wie viel Krach so ein Hamster macht, hätten wir einen Goldfisch gekauft. Und hätte ich vorher gewusst, wie viel Sand und Stroh nach jeder Reinigung in den gro-ßen Käfig passen … Goldfisch, 100 Prozent Goldfisch.

Den Zweck, den die Mädchen beabsichtigt hatten, erfüllte Eddi. Es war jemand bei mir. Ich war nicht mehr alleine, mein kleiner Freund war da. Unüber-hörbar. Nach ein paar Tagen habe ich mich sogar da-bei ertappt, wie ich mit ihm rede. Mit einem Hamster. Ich weiß nicht mehr, was ich ihm alles erzählt habe. Anfangs hörte er noch interessiert zu, doch irgend-wann wurde ihm anscheinend alles zu viel, und er ergriff die Flucht. Abgelenkt durch eines seiner Kunststücke vergaß ich, die Käfigtür zu schließen. Und dann floh er. Mitten in der Nacht. Weit kam er aber nicht. Ich fand ihn am nächsten Morgen in der

Küche. Tot. Er hatte in ein Stromkabel gebissen. Eddi sah aus wie explodiert.

Begraben konnten wir ihn nicht gleich, weil es draußen zu kalt und der Boden steinhart gefroren war. Deshalb lagerte ich Eddi nach seinem tragischen Unfall in einer leeren Vanilleeis-Schachtel im Gefrierfach. Sobald es draußen wieder wärmer würde, wollten wir ihn im Wald begraben.

Wie gut, dass ich zu dem Zeitpunkt noch Single war. Wenn meine Frau nämlich heute ans Gefrierfach gehen, das Vanilleeis herausnehmen und voller Vorfreude die Schachtel öffnen würde, und da wäre der tote Eddi drin, hätte sie entweder einen Herzinfarkt bekommen, und ich wäre jetzt Witwer, oder ich wäre tot. Beides tragisch.

Kapitel 2

Schlager, YPS und Eierlikör

März 2009

Eddi kommt endlich aus dem Gefrierfach. Nach den bitterkalten ersten zwei Monaten des Jahres ist es heute sonnig und warm, der Boden aufgetaut und weich. Nur Eddi ist noch immer steif gefroren. Ich lasse ihn aus der Vanilleeis-Schachtel in sein Grab rollen. Wir legen Möhren neben ihn, weil er die so gerne mochte. Ich schaufele alles zu und die Mädchen halten eine kurze Rede. Bei den Worten „Papas treuer Freund" und „Hamsterhimmel" werden meine Augen feucht. Am Ende liegen wir uns in den Armen und weinen. Wegen eines Hamsters? Ja, genau! Und wegen der Traurigkeit. Für meine Töchter war es der erste Verlust in ihrem Leben, die erste Begegnung mit dem Tod.

Eine Boa Constrictor sollte künftig in Eddis Zuhause wohnen. Zwei Meter lang, fünfzehn Kilo schwer.

„Was frisst die?", frage ich die beiden Schlangen-liebhaber, die sich auf meine Kleinanzeige gemeldet haben und das Terrarium abholen. „Ratten …
… oder Hamster", sagt der eine und grinst.

„Und wie viele?"

„Jeden Monat eine."

„Aber keine lebende", ergänzt der andere.

„Wie praktisch", sage ich und halte ihnen die Haustür auf. Weitere Einzelheiten will ich nicht wis-sen und bin froh, dass mit dem Verkauf des Terrari-ums das Kapitel Hamster ein für alle Mal geschlossen ist. Auch meine Töchter haben ein Einsehen und ver-suchen erst gar nicht, ein weiteres Haustier in mein Leben zu schleusen.

Stattdessen: eine Spielekonsole. „Eine Spielekon-sole?", werden nun alle fragen, die mich kennen. Computerspiele sind nämlich nicht mein Ding. Das wissen auch meine Töchter und haben die Sache des-halb ganz schön raffiniert eingefädelt. Als ich sie an einem Freitagnachmittag abhole, fragt die Große: „Papa, können wir morgen einen neuen Sonntagsfilm kaufen gehen?"

„Bitte, Papa", sagt die Kleine und schaut mich da-bei mit ihren großen blauen Augen an.

Damit haben sie mich, und wir fahren am nächsten Tag in den Elektromarkt. Doch anstatt direkt in die Filmeabteilung zu gehen, zerren sie mich in die Ecke mit den Spielekonsolen und starten ein Karaoke-Spiel. Wir singen Schlager der 70er-Jahre und haben jede Menge Spaß dabei.

Ich muss es zugeben: Das ist genau mein Ding. Bei den Kulthits komme ich in Party-Stimmung. Ich besitze sogar einige CDs mit alten Schlagern. Die höre ich beim Putzen. Lauthals mit Jürgen Marcus „Eine neue Liebe ist wie ein neues Leben" singend, feudele ich den Boden oder schwinge den Putzlappen zu „Ein Bett im Kornfeld". Und bei Howard Carpendales „Ti amo" sauge ich mich in Extase.

Zurück in den Elektromarkt: Ich kaufte die Konsole mit allem, was dazugehört. Wenn nämlich deine fünfjährige Tochter mit einem großen Mikrofon in der Hand Gitte Haennings „So schön kann doch kein Mann saaeeiiiiiiiin, dass ich ihm lange nachwaaeeiiiiiiin" singt, wirst du schwach. Garantiert! Zuhause verwandelten wir noch am selben Nachmittag das Wohnzimmer in ein Karaoke-Studio.

Du musst wissen: Als Kind der 70er wurdest du zwangsläufig Schlagerfan. Wir hatten damals ja nichts anderes. Der Höhepunkt der Woche war der Samstagabend vorm Fernseher. Nach dem Baden saß ich in meinem orangefarbenen Frottee-Schlafanzug vor der Glotze und drang mit Mr. Spock in Galaxien vor, die nie ein Mensch zuvor gesehen hat. Danach fieberte ich mit den Kandidaten bei Rudi Carrells „Am laufenden Band" oder sang zur ZDF-Hitparade. Wenn Dieter Thomas Heck uns zur Anfangsmelodie der Sendung mit „Hier ist Berlin! Hier ist wie immer ihre deutsche Hitparade!" begrüßte, war die Welt in Ordnung. Und wenn Wencke Myhre mit „Lass mein Knie, Joe, mit uns klappt das nie, Joe" die deutsche Version des Bonnie-Tyler-Hits „It's a Heartache" sang, ging die halbe Nation von einer 1:1 Übersetzung des Originals aus.

So war das in den 70ern. Wir aßen versalzenen, rot gefärbten Fisch und schwarz gefärbte Fischeier und hielten es für echten Lachs und Kaviar. Exotische Gerichte waren damals russische Eier, Toast Hawaii und Krabbencocktail.

Es war scheinbar eine unbeschwerte Zeit. Es gab drei Fernsehprogramme und kein Internet. Das Telefon mit Schnur stand im Flur und einen Shitstorm gab es höchstens am Stammtisch, wenn der Wirt die letzte Runde einläutete.

In den 70ern durften auch wir Kinder ab und zu Alkohol trinken. Ein Glas Sekt war an Silvester selbstverständlich und bei meiner Oma gab es kein Vanilleeis ohne Eierlikör. Sie schlug jedes Mal mit der flachen Hand auf den Flaschenboden und mit einem Bluubbpp ergoss sich danach ein großer Schwall übers Eis. Meine ersten Erinnerungen daran, da dürfte ich so drei, vier Jahre alt gewesen sein… aber wahrscheinlich hat sie mir das schon viel früher verabreicht. Stell dir vor: Bis zum Tod meiner Oma wusste ich überhaupt nicht, wie Vanilleeis pur eigentlich schmeckt.

Meine andere Oma schenkte mir jedes Jahr zu Weihnachten Weinbrand-Bohnen. Die kaufte sie immer im Sommer, wenn sie im Angebot waren. An Weihnachten waren sie dann meist grau und eingetrocknet. Die hat niemand von uns gerne gegessen. Wir haben sie jedes Mal ungeöffnet in den Schrank gelegt und irgendwann dann weitergeschenkt. Du musst wissen, das ging damals noch, denn es gab ja kein Haltbarkeitsdatum. Ich nehme an, diejenigen haben sie dann wieder weitergeschenkt und so weiter und so weiter. Es könnte also sein, dass die Weinbrand-Bohnen meiner Oma heute noch im Umlauf sind.

Neben der Hitparade, Raumschiff Enterprise und Pril-Blumen, mit denen ich unser Zuhause verschönerte, gab es für mich Woche für Woche ein weiteres Highlight: YPS mit Gimmick. Jeden Montag ging ich mit meinem Taschengeld zum Kiosk und kaufte das Comic-Heft. Mit YPS züchtete ich Urzeitkrebse, pflanzte Eierbäume und wurde Detektiv. Das Motto des Heftes „erst lesen, dann basteln" ist mir in Fleisch und Blut übergegangen. Jede Gebrauchsanleitung lese ich deshalb heute sehr sorgfältig durch.

Auch meine Leidenschaft für die Zauberkunst wurde durch YPS geweckt. Es gab damals in fünf oder sechs Heften hintereinander jeweils einen Zaubertrick. Ich erinnere mich noch genau an die Finger-Guillotine, bei der der Finger heil blieb, der Kaugummistreifen darunter jedoch durchtrennt wurde. Wahnsinn! Seitdem wollte ich Zauberer werden, wollte dem geheimnisumwobenen Magischen Zirkel angehören, mich mit anderen Zauberern verbünden und die Welt verblüffen. Ich besorgte mir alles über Zauberei, was ich bekommen konnte. Viel war das damals nicht: ein paar Bücher mit Kartentricks und anderen Kunststücken. Ich übte und übte. Später kam ich durch den Kontakt mit anderen Zauberern an neues Material. Ich studierte intensiv die Kunst der Täuschung und trat bei jeder Gelegenheit auf. Mit Anfang 20 machte ich die Aufnahmeprüfung des Magischen Zirkels und wurde Mitglied. Ich hatte es tatsächlich geschafft: Ich war einer von ihnen, ein echter Zauberer.

In den 70ern wurde vermutlich auch der Grundstein für meinen späteren Beruf gelegt. Ich bin in der Nähe einer Brauerei aufgewachsen und es roch beinahe jeden Tag nach Malz. Ich liebte den Geruch. Später studierte ich Brauwesen. Doch davon ein anderes Mal mehr. Hier soll es schließlich um meine Erlebnisse beim Online-Dating gehen. Und genau davon will ich dir jetzt erzählen. Also zurück ins Jahr 2009.

Kapitel 3

Tag der Entscheidung

April 2009

Ich bin krank. Ich sterbe. Jetzt.

Zumindest habe ich eine Vorstellung davon, wie es sich anfühlen könnte, wenn es so weit ist. Gliederschmerzen, Husten, Fieber. Ich liege im Bett, schwitze und friere im Wechsel. Schüttelfrost. Es ist die Hölle.

Mir wird bewusst, wie allein man ist, wenn man allein ist. Wenn du als Kind krank im Bett liegst, umsorgen dich die Eltern. Die Mutter kocht Tee, macht dir ein Süppchen und Wadenwickel. Später übernimmt das deine Frau. Und jetzt: Koche ich mir das Süppchen selbst. Mit letzter Kraft. Was ist, wenn ich jetzt sterbe, geht mir durch den Kopf. Ich schlafe ein und träume von meinem Ende und der Schlagzeile: „Der einsame Tod des Dirk O.". Darunter eine Notiz über die Leiche, die wochenlang in der Wohnung lag, und der Kommentar des Nachbarn, der wenig über mich sagen kann, der jedoch als Erster die vielen Fliegen bemerkte und den Geruch, der ins Treppenhaus waberte. Dann meine Wohnung in RTL 2 und in der Bild. Schweißgebadet wache ich auf.

Zwei Wochen später bin ich wieder gesund und mein Freund Patrick überredet mich, mit ihm in die Sauna zu gehen. „Das stärkt deine Abwehrkräfte. Außerdem sind dort immer jede Menge Frauen. Vielleicht lernst du ja eine kennen."

„Ja klar, in der Sauna", sage ich. „Wir gehen schon in eine normale Sauna und nicht in den Sauna-Club Gabi?" Wir lachen. Auf meinen Hinweis, dass ich so schon genügend schwitze und deshalb noch nie in der Sauna war, beruhigt er mich: „Das wird dir gefallen. Du musst auch nichts können. Außer sitzen und schwitzen. Den Rest erklär ich dir dann." Ich vertraue ihm, schließlich ist er in Sachen Sauna ein echter Profi. Einmal die Woche macht er das, direkt nach dem Sport. Das Fitness-Studio, in dem er trainiert, hat nämlich auch einen großen Wellnessbereich.

Ich treibe keinen Sport. Da bin ich konsequent. Entweder ganz oder gar nicht, lautet meine Devise. Beim Sport habe ich mich für Letzteres entschieden.

Gegen körperliche Anstrengung habe ich grundsätzlich nichts. Ich gehe wandern. Regelmäßig. Das war's aber auch schon. Mit Sport hatte ich nie was am Hut. Das fing schon in der Schule an. Den Sportunterricht habe ich gehasst. Hasste Boden- und Geräteturnen, die Leichtathletik und den Völkerball. Und den ganz besonders.

Zurück zur Sauna: Patrick hatte mich tatsächlich überredet, mit ihm dorthin zu gehen. Wir fuhren zu seinem Fitnessclub, und ich durfte als Gast mit rein. Nachdem er mir die Regeln erklärt hatte, ging's los. Da ich weder Nudist bin noch Swingerclubs besuche, war es für mich die erste Begegnung mit so vielen Nackten. Um mich herum gut 20 Männer und Frauen. Mein erster Eindruck: alle sportlich. Alle nackt. Alle interessant.

Als Mann schaust du nämlich nicht nur bei den Frauen genauer hin und studierst die weiblichen Rundungen. Auch die unterschiedlichen Dödel vergleichst du mit deinem eigenen. Dabei stellst du fest: Das männliche Geschlechtsteil ist kein schöner Anblick. Hier hätte Gott sich ruhig etwas Besseres einfallen lassen können. Was er sich dabei bloß gedacht hat? Ich habe da so meine eigene Theorie: Er muss sich bei den Frauen vollkommen verausgabt haben und knetete uns Männern danach mit allerletzter Kraft dieses Würstchen.

Ich sehe mich weiter um und mir fällt auf: Ich bin der einzige Unsportliche, alle anderen sind durchtrainiert. Ob es daran liegt, dass die Sauna zu einem Fitnessstudio gehört, weiß ich nicht. Ich habe ja keinen Vergleich. Was mir außerdem auffällt: Alle sind gebräunt und tätowiert. Einige haben sogar Schmuck unterrum. Und mittendrin ich. Der Exot, käseweiß, Speckbauch und kein einziges Tattoo.

Fasziniert bin ich aber noch von einer ganz anderen Sache: der Schambehaarung. Um mich herum sind sie entweder komplett rasiert oder haben ihren Rasen kunstvoll getrimmt. Natur pur ist offenbar nicht mehr in Mode.

Während ich alles genau beobachte und stark schwitzend vor mich hin sinniere, spüre ich auf einmal einen brennenden Schmerz. Mitten im Gesicht. Bei all den Regeln, die ich vorhin beachtet habe, vergaß ich, meine Brille abzusetzen, die nun beinahe glüht. Ich springe auf, drehe mich über mein Handtuch und werfe sie ab. Dabei verbrenne ich mir die Finger, fluche mindestens drei Mal Scheiße und gebe

Geräusche wie „au, au, au, uuuuhhhiiii, joooiiuuii"
von mir. Quasi Veitstanz. Schlagartig habe ich die
Aufmerksamkeit meiner neuen Sauna-Freunde.
Auch die der Damen. Applaus gibt es allerdings keinen, stattdessen Kopfschütteln. In ihren Geschichten
bin ich von nun an der Typ, der mit Brille in der
Sauna saß und sich beim Spannen den Rüssel verbrannte. Lustig, lustig. Jetzt musst du aber wissen, ich
bin stark kurzsichtig und hätte ohne Brille wirklich
nichts gesehen. Was echt schade gewesen wäre.

Patrick wollte mich das nächste Mal wieder mitnehmen. Doch ich bin seitdem nie wieder in der
Sauna gewesen. Das Kapitel hat sich für mich ein für
alle Mal erledigt. Schwitzen konnte ich auch woanders. Und Frauen in der Sauna kennenlernen? Vergiss es. Das ist, wie wenn dir jemand einen Zaubertrick erklärt, bevor er ihn zeigt.

Doch wo konnte ich eine Frau kennenlernen? Wo
eine neue Liebe finden? Ich lebe seit Jahren in einem
kleinen Dorf in der Südpfalz. Hier ist nichts los, außer
einmal im Jahr beim Weinfest, dann steppt der Bär.
Doch sind Weinfeste geeignet, die Partnerin fürs Leben an Land zu ziehen?
Vielleicht.

Was gibt es sonst noch?

Partys?

Finden keine mehr statt. In meinem Alter trifft man sich mit anderen Pärchen zum Essen.

Diskotheken?

Dafür bin ich zu alt.

Kneipen?

Ungeeignet.

Internet? Partnerbörse?

Ja klar, wo sonst!

Ich fasse noch am Abend nach meinem ersten Saunabesuch einen Entschluss: Ich werde mich morgen zur Partnersuche im Internet anmelden.

Kapitel 4

Die geheimnisvolle Formel

Mai 2009

Geschafft. Angemeldet. Ich bin drin. Ich bin nun offizielles Mitglied einer Online-Partnerbörse und dort im Katalog der suchenden Singles zu finden. Tagelang hatte ich recherchiert und Erfahrungsberichte gelesen. Ich entschied mich für einen großen Anbieter, der bereits seit Jahren erfolgreich am Markt ist und damit wirbt, mit einer wissenschaftlichen Methode zu arbeiten. Damit hatten sie mich. Wie du weißt, bin ich durch YPS seit meiner Kindheit ein Forscher und Freund der Wissenschaft. Und wenn jemand eine Formel für die Liebe gefunden hat, will ich davon profitieren. Doch das Gegenteil passierte: Es war ein einziger Reinfall. Die Frauen, die ich dort vermittelt bekam, passten zu 100 Prozent nicht in mein Leben. Spannend waren die Begegnungen trotzdem. Und verrückt. Extrem verrückt. Doch der Reihe nach.

Zuerst die Anmeldung: Es ist beinahe Mitternacht, und ich sitze vor der Internetseite der Partnerbörse. „Ich bin ein Mann und suche eine Frau", ist meine erste Angabe auf dem Weg zur neuen Liebe. Dann folgt der wissenschaftliche Fragebogen. Spontan und ehrlich soll ich antworten, dann würde es klappen. Dann würden sie mir genau die Frauen vorschlagen, mit denen ich glücklich werde, so das Versprechen. Oha! Ich bin gespannt. Dann geht es los. Zu meiner Überraschung eher mit banalen Fragen: Ob ich künftig lieber auf dem Land oder in der Stadt leben möchte, meine Beweggründe der Partnersuche und welche Eigenschaften ich an einer Frau attraktiv finde. Klingt wenig wissenschaftlich.

Danach eine Wasserstandsmeldung: 15 Prozent geschafft. Weiter geht's mit Fragen über mich und meine Charakter-Eigenschaften. Bei welcher Raumtemperatur ich mich wohl fühle, warm oder kalt, und ob ich bei offenem Fenster schlafe. Auffallend dabei: Nach der Temperatur meines Duschwassers fragt niemand. Absicht oder ein Fehler? Könnte die Formel genau an dieser Stelle noch optimiert werden?
Dafür aber: Wie würde ich mich mit einer Partnerin in einer Zweizimmerwohnung einrichten?

A: Auf jeden Fall ein gemeinsames Schlafzimmer

B: Jeder sollte sein eigenes Zimmer haben.

Hallo? Geht's noch? Will ich eine WG gründen ? Wer denkt sich solche Fragen aus? Doch kurz darauf wird mir klar, dass auch das im Nachhinein Sinn ergibt: Denn, wenn ich zuvor angegeben hätte, dass ich mich bei 18 Grad in meiner Wohnung am wohlsten fühle und auch im Winter nackt bei offenem Fenster schlafe, wäre Antwort B in der Tat eine gute Alternative gewesen. Zumindest für die Frau.

Dann wieder Wasserstandsmeldung: 42 Prozent geschafft. Jetzt fragen sie, was mich an meiner zukünftigen Partnerin stören würde.

A: ein dominanter Schwiegervater

B: eine überfürsorgliche Schwiegermutter

C: allzu großer Einfluss alter Freunde

D: schlechte Stimmung

E: ausgeflippte Typen im Bekanntenkreis.

Meine Antwort: Alles!

Allerdings darf ich nur eine Möglichkeit ankreuzen. Und ja, du hast recht: Spätestens jetzt hätte ich merken müssen, dass es eine äußerst fragwürdige Methode ist. Von wegen Wissenschaft. Von wegen geheimnisvolle Formel. Doch Liebe macht bekanntlich blind und - wie ich nun weiß - bereits die Aussicht auf Liebe lässt erblinden.

Weiter geht es mit tiefenpsychologischen Finessen. Sie zeigen mir zwar keine Tintenkleckse, die ich deuten soll, dafür aber Bilderpaare. Ich soll mich für das Bild entscheiden, das mir am meisten zusagt. Es kommen: eckige und runde Formen, gezackte und kreisförmige, Pfeile und Wellenlinien, Kreise und Quadrate, Punkte und Striche. Da ich selbst eher der runde Typ bin, entscheide ich mich jedes Mal für die runden Dinger. Nicht, dass die mir am Ende noch eine dürre, kantige Frau mit spitzer Nase und schmalen Lippen raussuchen, so meine Überlegungen.

Nach einer weiteren Wasserstandsmeldung, immerhin hatte ich nun die Hälfte geschafft, ging es zu meinen Gewohnheiten. Danach verschiedene Szenarien wie „Stell dir vor, du bist auf einer Bananenschale ausgerutscht. Was könnte deine erste Reaktion sein?" Ich lese die Antwortmöglichkeiten. Meine Reaktion im wahren Leben, nämlich lauthals fluchen, die Schale in hohem Bogen wegschleudern, aufstehen, weiterfluchen, den Übeltäter wüst beschimpfen und noch mehr fluchen, ist jedoch nicht dabei. Ich entscheide mich für „Ich stehe auf, trage die Bananenschale zum nächsten Abfallkorb, damit anderen nicht dasselbe passiert".

Danach Fragen nach meinen größten Wünschen. Auch hier ist nichts Passendes dabei. Zum Schluss wollen sie wissen, nach welcher Devise ich am ehesten leben will. Ich habe die Auswahl zwischen:

A: leben und leben lassen

B: erst die Arbeit, dann das Vergnügen

C: liebe deinen Nächsten wie dich selbst.

Ich entscheide mich für C und bin damit am Ende. Die Auswertung beginnt. Ich warte und öffne mir erst einmal ein Bier. Die Spannung steigt. Dann das Ergebnis: Anhand meiner Antworten werden nun den suchenden Damen Punkte verliehen. Diese liegen zwischen 60 und 140. Je höher, desto passender für mich. Aha. So einfach ist das also. Im Nachhinein muss ich sagen: alles Lug und Trug, alles Marketing. Die Formel hat bei mir definitiv nicht funktioniert. Kein Wunder bei den Fragen.

Da hätte sich meine Oma einen besseren Partnertest ausgedacht. Mögen Sie Eierlikör? Ja. Nein. Fertig.

Noch ahne ich nicht, was auf mich zukommt. Im Gegenteil: Ich freue mich auf eine abenteuerliche Reise und träume von der neuen Liebe. Jetzt bin ich von meinem ersten Date nur noch einen Klick entfernt. Schritt eins ist also getan. Schritt zwei: Zahlemann und Söhne.

Danach steht mir alles zur Verfügung: Es öffnet sich ein Portal mit Frauen, die super zu mir passen sollen. Ich bin begeistert. Es kann losgehen. Doch vorher noch ein weiterer Punkt: Ich muss mein Profil vervollständigen. Die Damen sollen schließlich genau wissen, wer ich bin, was ich will und warum sie mich unbedingt kennenlernen müssen. Dazu ein Foto. Bloß welches?

Ich entscheide mich für ein aktuelles. Alles andere bringt nichts. Kommt ja doch raus. Dazu habe ich ein ehrliches, ungeschöntes Profil geschrieben. Am Ende noch ein paar Fragen, deren Antworten für alle sichtbar sind. Am schwierigsten: An welchem Ort ich mich am wohlsten fühle? Ich denke nach. Meine Antwort: ein frisch bezogenes, duftiges Bett. Meine Lieblingskneipe erwähne ich lieber nicht.

Kapitel 5

Zwei auf einen Streich

Anfang Juni 2009

Ich habe ein erstes Date. Genauer gesagt: gleich zwei. Und beide übermorgen.

Doch der Reihe nach: Seit meiner Anmeldung im Partnerportal lächeln mir täglich jede Menge Frauen zu. Virtuell. Abends sitze ich vor dem Rechner, betrachte die Fotos und lächle zurück. Ich studiere ihre Profile und male mir aus, wie sie sein könnten. Was mir auffällt: Mir werden ausnahmslos hübsche Frauen vorgeschlagen. Oder empfinde ich das nur so?

Es ist erstaunlich, wie sich Dinge ändern: Als ich Jugendlicher war, gab es nur sehr wenige Mädchen, die mir gefielen. Später wurden es mehr und heute gibt es nur noch sehr wenige Frauen, die mir nicht gefallen. Zumindest optisch. Doch was mit den Jahren mehr und mehr zählt, sind die inneren Werte.

Deshalb wird zwar optisch die Auswahl immer größer, doch sie schrumpft in Wahrheit mit steigender Lebenserfahrung. Ich weiß eben heute ganz genau, was ich nicht will.

Hinzu kommen meine eigenen Macken. Außerdem meine Töchter: Die beiden Mädchen spielen in meinem Leben die erste Geige. Da mache ich keine Kompromisse.

Den Suchfilter der Partnerbörse habe ich meinen Vorstellungen angepasst. Zuerst das Alter: Ich bin 40. Meine Partnerin sollte nicht zu jung sein. Ich entscheide mich für „ab 33 Jahre". Was sollte ich mit einer Jüngeren anfangen. Gut, kurzzeitig hätte ich da schon Ideen, doch ich möchte mit einer Frau zusammenkommen, die in etwa meine Lebenserfahrung teilt und mit der ich nicht in Diskotheken gehen oder zum Ballermann fliegen muss. Auf der anderen Seite sollte sie nicht sehr viel älter sein als ich. „Bis 43 Jahre" gebe ich an. Die Größe ist mir egal. Rauchen sollte sie aber nicht und sie sollte nicht allzu weit weg wohnen. Ich gebe einen Radius von 150 Kilometern an.

Das System schlägt mir einige Frauen vor, die meinen Suchkriterien entsprechen. Ich stoße auf

Sätze wie „Das Schönste an der Liebe ist, wenn aus zwei Leben ein gemeinsames wird". Und was schreibe ich in meinem Profil? Von einem duftigen Bett. Wie gut, dass ich den Eierlikör nicht thematisiert habe.

Zwei Frauen fallen mir besonders positiv auf, und das System verspricht: Sie sollen beide super zu mir passen. Ramona ist 35 und Lehrerin, Stephanie 38 und Steuerfachfrau. Beide haben keine Kinder und sind aus der Nähe von Wiesbaden. Ich ertappe mich bei dem Gedanken, dass Stephanie im Hinblick auf meine Steuererklärung echt praktisch wäre und lege deshalb bei ihr noch ein paar Bonuspunkte obendrauf.

Ich schreibe beiden. Beide antworten. Nach ein paar Tagen verabreden wir uns. Zwar getrennt, aber am selben Tag. Das bleibt aber mein Geheimnis. Mit Ramona treffe ich mich um 16 Uhr in Wiesbaden, mit Stephanie um sieben. Das spart Zeit und Fahrtkosten. Immerhin ist Wiesbaden von mir 120 Kilometer entfernt.

Samstagmittag. In drei Stunden treffe ich Ramona. Mein erstes Date seit über 20 Jahren. Ich bin aufgeregt. Was ziehe ich an?

Jeans ist klar.

Doch obenrum?

Erster Versuch: ein Sweatshirt. Oh mein Gott, ich muss auf Diät.

Lieber ein Hemd. Ein weites. Und schwarz, denn Schwarz soll ja schlank machen.

Dann Zweifel: Kommt man zum ersten Date in Schwarz? Das strahlt keine große Lebensfreude aus, also lieber farbenfroh und kariert.

Klein- oder großkariert? Probiere eins an und betrachte mich im Spiegel. Sieht aus wie ein Geschirrhandtuch. Wieso besitze ich solche Hemden?

Nächster Versuch.

Entscheide mich am Ende für ein dunkelblaues Hemd. Damit kannst du definitiv nichts falsch machen, glaube ich zumindest.

Gut zwei Stunden später sitze ich in dem Dating-Café in der Wiesbadener Innenstadt. Ich bin zu früh. Eine Stunde. Ich dachte, die Anreise würde länger dauern. „Pünktlichkeit ist die Höflichkeit der Könige", hat mir mein Opa immer gepredigt. Daran halte ich mich bis heute. Alle paar Minuten schaue ich auf die Uhr. Ich schiebe meine Kaffeetasse nervös hin und her. Innere Unruhe, frage nicht. „Ramona, zum Abschied sag ich dir goodbye", singe ich leise. Mir geht der alte Schlager seit Tagen nicht mehr aus dem Kopf. Ich bin zuvor noch nie einer Ramona begegnet. Hoffentlich stimmen ihre Angaben und das Foto ist aktuell. Nicht, dass sie am Ende so alt ist wie der Schlager. Wieder schaue ich auf die Uhr, dann zum Eingang. Ich bestelle noch einen Kaffee. Um kurz nach vier erscheint sie.

Ramona ist am Eingang stehen geblieben und schaut sich um. Sie geht weiter und mir fällt auf: Sie geht nicht, nein, sie schwebt. Und strahlt. Der Raum ist heller, seit sie hereinkam. Sie ist noch viel schöner als auf dem Foto. Langes blondes Haar, blaue Augen, volle, rote Lippen und eine tolle Figur, die durch ihre enge Jeans bemerkenswert betont wird. Mit offenem Mund winke ich ihr zu. Sie lächelt mich an und gleitet an meinen Tisch. Ich stehe auf und begrüße sie überschwänglich mit „Hallo, schön dich zu sehen. Gut siehst du aus." Sie lächelt mich an: „Du auch." Sie setzt sich. Ich stehe immer noch wie versteinert da, kann mich kaum rühren. „Willst du stehen bleiben?", fragt sie. „Nein, nein", antworte ich und lasse mich in meinen Stuhl plumpsen. Ramona bestellt sich einen Latte Macchiato, ich noch einen Kaffee.

Ich trinke keinen Latte. Damit habe ich mir schon einmal alles verbrannt. Zuerst die Finger, dann den Rest. Heißer Kaffee mit Strohhalm, vergiss es. Damit kannst du dir die Brandblasen direkt auf die Zunge saugen.

Ramona schaut mir tief in die Augen und spielt mit ihrem Finger am Strohhalm. Dann trinkt sie genüsslich, leckt sich danach über ihre vollen Lippen und lächelt verführerisch. Sie erzählt von ihren Erfahrungen beim Daten, von ihrer letzten Partnerschaft und wie es auseinanderging. Auch ihr Beruf ist ein Thema und wie anstrengend Kinder heutzutage sein können. Ich erzähle ihr von meinen Töchtern, meinem Leben, von der Zauberkunst und wie ich als Kind durch das YPS-Heft dazu kam. Dann zeige ich ihr voller Freude einen kleinen Zaubertrick.

Die Zeit vergeht wie im Flug. Ein Knistern liegt in der Luft. Bis eben, bis zu dem Augenblick als ich auf die Uhr schaue und vollkommen entspannt und unbedacht zu ihr sage: „Oh, schon so spät. Ich muss los. Ich habe um sieben mein zweites Date mit Stephanie, die ist auch aus der Nähe von Wiesbaden, und wir treffen uns gleich hier im Bistro um die Ecke." Stille. Dann: schlagartig Sonnenfinsternis. Frage nicht! Kein

Strahlen mehr, kein Lächeln. Erinnerst du dich an die Szene im Film „Herr der Ringe", als sich um Gandalf der Raum verfinstert und er mit teuflischer Stimme zu Bilbo spricht. Genauso war es. Eine Beerdigung mit Gewitter und Hagelschauer ist nichts dagegen.

Dann fällt mir auf: Ramonas Haar ist auf einmal nicht mehr so blond, das Strahlen um sie herum verschwunden. Ihre Nase krumm, ihre Lippen schmal und blass, die Stimme schrill und ihr Blick will mich töten. Nein, nicht ihr Blick. Sie. Sie will mich töten!

Meine Erklärungen von wegen Fahrtkosten sparen und praktisch und Nachhaltigkeit und Umweltschutz machen es nicht besser. Sie steht auf, dreht sich um und stampft aus dem Lokal. Ohne ein Tschüss, ohne ein Adieu, ohne alles. Ihr Zauber ist schlagartig verschwunden. Ich schaue ihr nach und bemerke auf einmal, dass ihre Jeans viel zu eng ist. Definitiv viel zu eng.

Auch ich will mich auf den Weg machen, doch mein Körper hat auf Ramona reagiert. Schweißflecken, riesige Schweißflecken. Frage nicht. Das dunkelblaue Hemd. Ein Fehler. Ein ganz großer Fehler. Was mach ich nur? Toilette! Hoffentlich gibt es dort einen Händetrockner.

Ich öffne die Tür und bin erleichtert: Sie haben einen. Und was für einen. Einen Turbotrockner, der das Wasser regelrecht von den Händen peitscht und mich irgendwie an meinen Dampfstrahler erinnert.

Einziger Nachteil: Die schmale Öffnung, durch die ich mein Hemd zu dem Luftstrom bringen muss. Ich kämpfe gegen die Düsen an und singe dabei „Ramona, zum Abschied sag ich dir goodbye". Die Hemdsärmel wirbeln dabei nach oben, der Rest des Hemdes flattert kreuz und quer. Ich muss lachen. Was für eine Frau. Was für ein Temperament. Der Wahnsinn. Lehrerin ist sie. Gottseidank nicht meine!

Ein paar Minuten später komme ich in das Bistro um die Ecke. Dort wartet bereits die nächste Überraschung: Die Frau, die mir zuwinkt, hat überhaupt keine Ähnlichkeit mit der Frau aus dem Internet. Entweder lockt mich gerade eine Fremde an ihren Tisch oder ich habe ein Date mit einem Gestaltwandler.

„Hallo, bist du die Stephanie?", frage ich zögernd. „Ja klar, wer sonst. Und du der Dirk. Du siehst ja genauso aus wie auf deinem Foto", sagt sie und wirkt überrascht. „Du siehst anders aus", sage ich. „Ja, ja, das Foto ist schon ein paar Jahre alt, ich hatte kein besseres", sagt sie und lacht. Sie ist nett und trotz des

Täuschungsmanövers sympathisch. Dass ich gerade von einem Date komme, verschweige ich lieber.

Wir kommen ins Plaudern und ich mehr und mehr in die Bredouille. Ich erzähle ihr von meinen Töchtern, von meinem Leben und von der Zauberkunst und wie ich als Kind durch das YPS-Heft dazu kam. Stephanie will alles wissen und stellt eine Frage nach der anderen.

Das Schlimme dabei: Ich habe ständig das Gefühl, alles gerade schon einmal erzählt zu haben. Ein echtes Déjà-vu. Vor beinahe jedem Satz frage ich mich, ob ich darüber gerade eben oder vorhin mit Ramona gesprochen habe. Vielleicht habe ich ja einiges bereits doppelt erzählt und Stephanie bleibt höflich und sagt nichts. Vielleicht schmiedet sie aber schon Fluchtpläne, überlegt wie sie dem Irren entkommen kann.

Pustekuchen. Stattdessen weitere Fragen. Ich bin erschöpft, bin müde, will nichts mehr erzählen, will nachhause, will schlafen. Einfach nur schlafen. Ich sehne mich nach meinem Bett, nach meinem duftigen Bett. Nach Ruhe. Nach himmlischer Ruhe. Ich ganz für mich. Keine Fragen mehr. Bitte! Doch Stephanie bohrt weiter, will noch mehr wissen. Am Ende muss ich ihr sogar noch einen Zaubertrick zeigen. Um kurz nach halb zwölf verabschiede ich mich und fahre völlig erschöpft nachhause.

Stephanie und ich haben uns noch ein paar Mal geschrieben und auch telefoniert, doch getroffen haben wir uns nicht wieder. Es hat irgendwie nicht gepasst. Wenn ich heute an unser Date denke, muss ich lachen. Und wenn Stephanie das hier liest, sie hoffentlich auch.

Kapitel 6

Volltreffer, fast

Mitte Juni 2009

Montagabend, sieben Uhr. Es ist soweit: mein erstes richtiges Date. Die beiden Treffen in Wiesbaden sind aus der Bilanz gestrichen. Heute bin ich mit Brigitte verabredet. Das Beste: Sie wohnt nur ein paar Kilometer von mir entfernt.

Auf ihren Fotos sieht sie hübsch aus. Sie ist 37 Jahre alt, 1,68 Meter groß, hat eine achtjährige Tochter, ist Krankenschwester, hat lange blonde Haare, blaue Augen und eine Figur mit allem, was dazugehört. Du hast bestimmt schon bemerkt: Darauf stehe ich. Also auf blond, nicht auf Krankenschwester. Sie schreibt, sie sei eine echte Blondine, nicht gefärbt, und komme aus dem Norden. Deshalb habe sie auch einen leichten norddeutschen Akzent. Auf den Fotos lacht sie mich an. Mit zwei Grübchen auf ihren Wangen. Sie ähnelt damit der amerikanischen Schauspielerin Cameron Diaz. Ich bin begeistert.

Brigitte wohnt und arbeitet in Speyer. Dort haben wir uns verabredet. In einer Kneipe mitten in der Altstadt. Ich bin ein paar Minuten zu früh. Am Eingang lasse ich meinen Blick durch das Lokal schweifen. Brigitte ist noch nicht da. Ich suche einen Platz und bin aufgeregt. Mein Herz klopft, die Hände sind kalt. Wie immer, wenn ich aufgeregt bin. Gottseidank nie feucht, nur kalt. Aber eiskalt.

Was macht das für einen Eindruck, wenn ich ihr zur Begrüßung die Hand gebe?

Soll ich ihr überhaupt die Hand geben?

Wenn sie mir ihre entgegenstreckt, muss ich das wohl. Und dann?

Gefrierbrand oder Schlimmeres.

Von meinem Platz aus habe ich den Eingang des Lokals im Blick. Ich setze mich auf die Hände und hoffe, dass sie warm werden. Sieht verklemmt aus und hilft nicht. Im Gegenteil: Jetzt habe ich auch noch kalte Oberschenkel. Also: Hände wieder auf den Tisch. Ich sollte mir einen Taschenofen besorgen. Oder mir einen Becher Kaffee bestellen und die Hände daran wärmen. Doch davon werde ich am Ende noch nervöser und kann außerdem wieder die halbe Nacht nicht schlafen.

Was trinke ich also?

Cola?

Nein, da kann ich gleich Kaffee trinken.

Ein Bier?

Denk an den ersten Eindruck!

Ein alkoholfreies Bier?

Sieht aus wie Bier.

Ich bestelle eine Apfelschorle.

Die wird mir mit viel Eiswürfeln serviert. Dazwischen ein dicker schwarzer Strohhalm. Soll ich wirklich damit trinken?

Denk an den ersten Eindruck! Also, weg mit dem Ding.

Langsam bricht Panik in mir aus, und ich bin kurz davor zu fliehen. Ich schaue auf die Uhr. Es ist fünf nach sieben. Die Tür geht auf, es ist Brigitte. Sie kommt auf mich zu, streckt mir die Hand entgegen und sagt: „Hi, du musst Dirk sein." Dabei lächelt sie mich an. Mit Grübchen. Mir bleibt beinahe die Luft weg. „Hallo Brigitte. Sorry, meine Hand ist eiskalt … von der Apfelschorle."

„Meine auch. Bekomme ich immer, wenn ich nervös bin", sagt sie und lacht. Nach ein paar Minuten lösen sich die Kneipe und die Leute um uns herum förmlich in Luft auf. Wir erzählen von unseren Leben und amüsieren uns köstlich dabei. Die Zeit rast. Gegen elf bestellen wir die Rechnung. Dann der Moment der Wahrheit: „Es war ein schöner Abend. Ich würde dich gern wieder treffen", sage ich und schaue ihr dabei tief in die Augen. „Fand ich auch. Ich freue mich aufs nächste Mal", sagt sie und lächelt. „Ich wohne hier gleich um die Ecke. Hast du noch Lust, bei mir einen Kaffee oder einen Tee zu trinken?"

Damit hatte ich jetzt wirklich nicht gerechnet. War sie immer so schnell?

Du hast Recht, meine Fantasie ging mit mir durch. Sie hatte mich bislang lediglich auf einen Kaffee zu sich eingeladen. Mehr nicht. Noch nicht!

Ich schaue sie an. Ihr Lachen, die Grübchen, ihre blauen Augen und die langen blonden Haare. Wer könnte da nein sagen?

„Ich wäre gerne noch länger mit dir hier sitzen geblieben", sagt Brigitte, „doch ich habe meinem Babysitter versprochen, dass es nicht so spät wird und jetzt ist es schon nach elf."

„Na dann, lass uns gehen!", sage ich.

Kurz darauf sitzen wir in ihrer Küche an einem rustikalen Holztisch und trinken Tee. Ostfriesentee aus ihrer Heimat. Die zwei flackernden Kerzen werfen unsere Schatten auf das Küchenbuffet ihrer Oma. Es war schön und ich hätte noch die ganze Nacht hier sitzen können. Doch so gegen Mitternacht mache ich mich auf den Weg. An der Haustür gibt mir Brigitte einen Kuss auf die Wange und haucht: „Du bist ein ganz Süßer. Ich freue mich schon aufs nächste Mal." Dabei kitzelt ihre Zunge mein Ohr und ein betörender Duft steigt mir in die Nase. „Ich ruf dich an", sage ich und taumele ins Treppenhaus.

Die nächsten Wochen telefonierten wir jeden Tag. Wegen Brigittes Schichtdienst und meinen Zauberauftritten trafen wir uns aber erst wieder Mitte Juli. Brigitte hatte mir einen Tag vorher am Telefon erzählt, dass ihre Tochter an dem Abend bei ihrer Schwester übernachtet und sie sich sehr auf meinen Besuch freue.

Jetzt Mal ehrlich: Sie hätte ebensogut sagen können „komm vorbei und leg mich flach". Doch ob das genauso charmant auf mich gewirkt hätte wie „die Kleine übernachtet heute bei meiner Schwester, wir haben also sturmfreie Bude" und dann ihr süßes Lachen hinterher, mit Grübchen, bezweifele ich.

Frauen wissen eben, worauf es ankommt.

Da ich dir die Geschichte mit Brigitte gleich zu Beginn erzähle, dürfte klar sein, dass wir kein Paar wurden. Warum? Nun, es hat am Ende eben doch nicht gepasst. Beim näheren Kennenlernen merkten wir beide, dass es für eine echte Partnerschaft nicht reicht.

An die Zeit mit Brigitte denke ich gerne zurück. Wir sind heute noch freundschaftlich verbunden. Damals versprach ich ihr, irgendwann einmal auf ihrer Hochzeit zu zaubern. Dieses Versprechen konnte ich vor einigen Jahren einlösen.

Kapitel 7

Bohnen und Bier

Ende November 2009

Ich bin fassungslos: 100,4 Kilo. Gratulation, Dirk, du bist dreistellig! Nach über 40 Jahren. 1,80 Meter groß, 100 Kilo schwer. Im Schlafanzug sehe ich aus wie Captain Kirk im Endstadium. Scotty, beamen…

Ausgerechnet jetzt lädt mich mein Nachbar Klaus zum Glühwein ein. „Ich muss abnehmen, Klaus, dringend. Weißt du, wie viele Kalorien so ein Glühwein hat?"

„Ach was, stell dich nicht so an, das macht den Kohl auch nicht mehr fett. Komm rüber und ich verrate dir mein Diätgeheimnis. Ich kenne eine Methode, damit kannst du in 30 Tagen zehn Kilo abnehmen. Ohne Sport. Ich habe es ausprobiert, es funktioniert und ist ganz einfach", verspricht er und grinst.

„Was soll das sein? Nichts essen?"

„Nein, du darfst essen so viel du willst. Es muss nur das Richtige sein. Komm rüber, der Glühwein wird kalt." Fünf Minuten später sitze ich bei Klaus am Küchentisch.

„Du darfst Bohnen, Thunfisch und Eier essen so viel du willst und so oft du willst."

„Und damit soll man abnehmen?"

„Ja, und wie. Alkohol ist allerdings tabu."

„Auch kein Bier?"

„Auch kein Bier", sagt Klaus und hebt dabei seinen Zeigefinger. Wir lachen. Ich bin begeistert. Ein paar Tage ohne Bier werde ich überleben. In ein paar Wochen habe ich meinen alten Körper zurück. So lange heißt es: Bohnen, kein Bier … und Dating-Pause.

Am nächsten Tag kaufe ich ein: Bohnen in Tomatensoße, schwarze Bohnen, rote Bohnen, weiße Bohnen, Thunfisch. Jeweils 20 Dosen. Dazu 24 Eier. „Ich fülle die Vorräte in meinem Atombunker auf", sage ich zur Kassiererin. Sie schaut kurz auf und zieht weiter wortlos die Dosen über den Scanner. Ob sie mich verstanden hat? Zuhause staple ich die Vorräte im Keller.

Tag 1: Bohnen zum Frühstück, dazu Kaffee. Ich fühle mich wie Bud Spencer. Großartig! Zum Mittagessen Bohnen mit Thunfisch. Am Abend Bohnen mit Eiern. Lecker! Ich bin begeistert.

Tag 4: Bohnen, Bohnen, Bohnen. Nichts als Bohnen. Dazu Eier und Thunfisch. Mir ist übel. Ich bin froh, dass ich Single bin. Die Bohnen. Frage nicht! Doch die Waage lässt mich jubeln: Ich habe bereits ein Kilo abgenommen. Ohne zu hungern. Klaus hatte Recht, die Methode ist spitze, trotz heftiger Blähungen. Mein neuer Plan: durchhalten!

Tag 6: Mir ist schlecht. Ich kann keine Bohnen mehr sehen, auch keinen Thunfisch und keine Eier. Allein der Gedanke daran verursacht Brechreiz. Und der Geruch erst…Urrrrgggghhhhh. Danke, Klaus!

Tag 7: Nie wieder Bohnen! Ich breche das Experiment ab und bestelle Pizza. Eine große Pizza! Mit Salami, Pilzen, Peperoni und doppelt Käse. Dazu Bier. Herrlich! Das Leben kann so schön sein. Werde Klaus die restlichen Dosen rüberbringen.

Ein paar Tage später starte ich den nächsten Abnehmversuch. Ein Kollege hat mir „Schlank im

Schlaf" empfohlen und ein Buch dazu ausgeliehen. Er habe damit spielend abgenommen, schwärmt er. Die Methode klingt vielversprechend. Das Prinzip ist simpel: abends keine Kohlenhydrate. So sollen über Nacht die Fettpolster dahinschmelzen wie Butter in der Sonne, verspricht der Erfinder. Ich bin gespannt und werde ab jetzt mehr Gemüse essen. Bier ist leider auch hier tabu. Egal, Hauptsache keine Bohnen.

Tag 1, Abendessen: Wirsing. Sonst nichts. Na ja, fast nichts. Ich habe ihn mit gebratenen Speckwürfeln, Zwiebeln und Sahne verfeinert. Das sind schließlich keine Kohlenhydrate. Es schmeckt köstlich, und ich futtere beinahe den ganzen Topf. Ich habe das Gefühl, ich platze und kann nie wieder etwas essen. Zwei Stunden später kehrt der Hunger zurück, und ich genieße den Rest. Später liege ich mit knurrendem Magen im Bett. Ich fühle mich abgemagert. Neue Erkenntnis: Der Mensch braucht Kohlenhydrate. Auch abends.

Tag 14: Drei Kilo weniger auf der Waage. Nur mit Gemüse am Abend. Wirsing, Weißkohl, Grünkohl, Blumenkohl, Rosenkohl. Ich liebe Kohl. Meine Nachbarn weniger. Sie beschweren sich über den Geruch.

Das ganze Treppenhaus riecht danach. Ich auch. Gut, dass ich gerade keine Frauen treffe.

29. Dezember: Zurück auf Anfang. Weihnachten hat deutliche Spuren hinterlassen. Ich wiege beinahe wieder 100 Kilo. Die Verwandtschaft hatte mich bekocht, als gäbe es kein Morgen mehr. Gänsebraten, Knödel, Nachtisch. Alles in der Endlosschleife. Drei Tage lang.

Silvester: Meine Vorsätze für 2010: abnehmen, abnehmen, abnehmen. Noch in der Neujahrsnacht kommt mir die Erleuchtung und ich erfinde meine eigene Diät: Eine Kombination aus Bohnendiät und Schlank im Schlaf. Die Bohnen werden jedoch durch Bier ersetzt. Genial!

Tag 1: Zum Frühstück vier Scheiben Vollkornbrot mit Butter und Marmelade, dazu Kaffee. Zum Mittagessen: Blumenkohlbombe. Das ist ein ganzer Blumenkohl im knusprigen Hackfleisch-Speck-Mantel. Lecker! Und das Beste daran: keine Kohlenhydrate. Du glaubst nicht, was man so alles im Internet findet.

Am Abend sitze ich mit meinem Freund Christian in unserer Stammkneipe. Der Wirt bringt zwei Bier und nimmt die Bestellung auf.

„Einmal Rumpsteak mit Röstzwiebeln, Pommes und Salat. Und du?"

„Ich bleibe beim Bier", sage ich. „Willst du nichts essen?", fragt Christian. „Ich mache eine Bierdiät." Der Wirt schüttelt den Kopf und geht in die Küche. „Du hast schon gegessen, oder?", fragt Christian.

„Nein, ich muss abnehmen und esse abends nichts mehr. Stattdessen trinke ich Bier."

„Und das soll funktionieren?"

„Ich probier's aus."

„Wenn das klappt, kannst du reich werden."

„Ja, dann verkaufe ich die Idee an eine Brauerei und wir bekommen lebenslang Freibier", sage ich und lache.

Kurz darauf bringt der Wirt das Essen. Christian schneidet das Steak an. „Ahhh, auf den Punkt gebraten, schau mal." Er hält mir das rosafarbene Stück Fleisch direkt unter die Nase. Die Zwiebeln duften und mir läuft das Wasser im Mund zusammen. „Willst du wirklich nichts essen? Bier auf nüchternen Magen, das kann nicht gut sein", sagt er und kaut genüsslich sein Steak.

Du kannst dir vorstellen: Ich hätte an dem Abend drei Steaks essen können, mit Bergen von Röstzwiebeln und kiloweise Pommes. Salat nicht. Ich blieb aber standhaft und bestellte stattdessen noch mehr Bier.

Als ich am nächsten Tag aufwache, knurrt mir nicht nur der Magen, mir brummt auch der Schädel. Ich schaue auf die Uhr und erschrecke: Es ist beinahe 12. Gratulation, Dirk! Super Diät: Schon einen halben Tag verloren.

Ende Januar: geschafft! Die fünf Kilo sind wieder runter. Wie ich das gemacht habe? Ganz einfach: weniger und bewusster gegessen. Außerdem auf Schokolade verzichtet und mich mehr bewegt. Wobei ich weder Sport gemacht noch gehungert habe. Im Gegenteil: An den Wochenenden, an denen meine Töchter bei mir waren, haben wir jedes Mal so richtig geschlemmt. Ich habe dabei aber die zweite Portion weggelassen. Das hat gewirkt.

Ich fühle mich rank und schlank. Wenn ich jetzt noch anfange, Sport zu machen, wäre es nicht mehr zum Aushalten. Ich will es aber nicht übertreiben.

Ein weiterer Vorteil meiner neuen Ernährungsstrategie: Im Gegensatz zur Bohnendiät kann ich damit gleichzeitig mit der Partnersuche weitermachen. Was ich dabei im Januar erlebte, wirst du kaum glauben. Doch es ist genauso passiert.

Kapitel 8

Beinahe in Heidelberg verloren

Anfang Januar 2010

Neues Jahr, neues Glück. Nach längerer Pause bin ich wieder einmal im Partnerportal und stoße dabei auf Jutta aus Heidelberg. Auf ihrem Profilfoto ist sie als Scheherazade aus „Tausendundeine Nacht" verkleidet, auf ihrem Schoß sitzt ein Kind in einem Löwenkostüm. Sie hat lange schwarze Haare, ihr Gesicht ist wunderschön. Sie erinnert mich an die Elbin Arwen aus den „Der Herr der Ringe"-Filmen.

Ich klicke weiter und lese ihre geistreich beschriebenen Vorlieben und Vorstellungen einer Partnerschaft. Nach einem heftigen Streit findet sie nichts schöner als am Abend Versöhnungssex. Sympathisch, die Frau. Sie ist 39, Autorin, und hat zwei Jungs im Alter von fünf und neun Jahren. Genau ein Jahr jünger als meine Töchter. Ich schaue mir weitere

Fotos an. Das nächste zeigt sie allein vor einem Bücherregal. Ihre Haare sind zu einem Pferdeschwanz nach hinten gebunden. Mit der Frisur wirkt sie gleichzeitig streng und erotisch. Das dritte und letzte Foto ist eine Nahaufnahme, auf der nur ihr Gesicht zu sehen ist. Ihr Mund, die Lippen, die Nase, die Augenpartie, alles ist perfekt. Sie ist eine Naturschönheit und könnte ein Supermodel sein. Außerdem sieht sie deutlich jünger aus als 39. Jetzt heißt es: Nur nicht nervös werden.

Ich drücke den Button „anlächeln". Sie erhält dadurch über das System eine Mitteilung, dass ich mich für sie interessiere.

Kurz darauf schreibt sie:

Lieber Dirk,

67*** ist ja gefährlich in der Nähe. Dein Profil gefällt mir. Wenn du nicht sprichst wie Frau Zehnbauer, sollten wir uns kennenlernen. Was meinst du?

Gruß aus Heidelberg

Jutta

Anmerkung: 2008 beschwerte sich Christine Zehnbauer (†) bei der Mannheimer Polizei in breitestem Dialekt über ihre lauten Nachbarn. Der Anruf landete bei Youtube und die Mannheimerin wurde daraufhin bundesweit bekannt. Das Video wurde bis heute über 2,4 Millionen Mal angeschaut.

Hallo Jutta,

danke für deine Nachricht. Dein Profil gefällt mir auch. Deine Texte sind sehr geistreich und erfrischend, das gibt es hier wirklich selten. Du scheinst eine interessante Frau zu sein. Gerne würde ich dich kennenlernen.

Und keine Angst, ich spreche nicht wie Frau Zehnbauer, denn ich komme nicht aus der Gegend. Ich bin aus dem Saarland, wohne aber seit ein paar Jahren in der Südpfalz. Wer ist denn der kleine Löwe auf deinem Schoß?

LG Dirk

Montag, 11. Januar

Hallo Dirk,

danke für deine Mail. Die schlechte Nachricht ist, dass, obwohl du zweifelsfrei gut aussiehst, ich tatsächlich eher auf einen anderen Typ Mann stehe. Eher den hakennasigen, dornigen, nordischen Typen als den mit weicheren Zügen, denn weichere Züge hab ich ja selber.

Der Löwe ist mein jüngster Sohn (5) an Karneval ...

LG Jutta

Hallo Jutta,

wenn ich auf meinen Fotos nicht deinen Vorstellungen entspreche, dann müsstest du mich erst einmal in natura erleben - noch schlimmer ...

LG Dirk

Hallo Dirk,

die gute Nachricht ist, dass mir gefällt, dass du witzig und selber geistreich bist. Du bist zumindest jemand, mit dem ich gern schon mal einen Kaffee trinken gehen würde. Dazu kannst du noch zaubern. Das ist das Hobby meines großen Sohns (9), der mich immer mal ins Kinderzimmer holt und dann eine Vorführung macht.

In welcher Redaktion arbeitest du übrigens?

LG Jutta

Hallo Jutta,

sollte es zu einem gemeinsamen Kaffee kommen, werde ich mir wenigstens einen Dreitage-Bart stehen lassen, um etwas rauer und kantiger zu wirken. Vielleicht kann ich damit bei dir punkten...

Ich bin Fachredakteur und schreibe über Bier. Wie es dazu kam, ist eine andere Geschichte...

Ich habe zwei Töchter, zehn und sechs Jahre alt, also genau ein Jahr älter als deine Jungs.

Über was schreibst du, und wann kann ich zum Kaffee vorbeikommen?

Vorausgesetzt, du hast keine schlechte Laune, das kann ich nämlich nicht leiden.

LG Dirk

Dienstag, 12. Januar

Lieber Dirk,

ich muss gestehen, ich habe schon seit etlichen Jahren schlechte Laune ... ehrlich. Und ich bin garantiert zickig.

Schade, dass Du das nicht ausstehen kannst, denn dem Alter nach sind unsere Kinder überraschend kompatibel. Aber ach, eh ich's vergesse - du warst ja sowieso nicht ganz mein Typ...

Da ich ohnehin ein bierernster Mensch bin und du dich mit Bier ja auskennst, ich zudem sowieso keinen Kaffee vertrage, könnten wir vielleicht mal locker in der Gasthausbrauerei bei mir um die Ecke einkehren. Aber ohne Heirats- und Frau-fürs-Leben-Aussicht. Remember: stets schlecht gelaunt und zickig.

Was ich schreibe? Wissenschaftliche Texte in verschiedenen Disziplinen, je nach Auftrag.

Nicht langweilig und auch nicht sensationell witzig.

LG Jutta

12 Mails später stand die Verabredung. Ich hatte es tatsächlich geschafft: Obwohl ich überhaupt nicht Juttas Typ war, wollte sie sich mit mir treffen. Am Sonntagabend in Heidelberg in einer Gasthausbrauerei.

Freitag, 15. Januar

Lieber Dirk,

du musst jetzt sehr tapfer sein, denn: Ich muss dir absagen, leider.

Mein Großer ist so krank, dass ich kaum zum Arbeiten komme, dazu noch hat der Auftraggeber meine Arbeit von gestern zum Überarbeiten zurückgegeben, sie sei ihm „zu hoch aufgehängt", was im Klartext heißt, es könnte auffliegen, dass er sie nicht selbst verfasst hat, und ich muss nun ihr intellektuelles Niveau auf Schwafelniveau runterschrauben ... was mir schwerfallen wird ... die nächste Arbeit ist fällig am 22., die Verzeichnisse dazu am Montagmorgen, ich brauche jede Minute und zudem weiß ich nicht, ob der Große am Sonntag wieder fit ist. Am 23. folgt dann ein größeres Treffen, bei dem ich nicht fehlen mag. Tut mir echt leid. Vor dem 23. no chance ...

So sorry, Jutta

Du wirst genau wie ich auch nur die Hälfte verstanden haben. Das Geheimnis wird sich aber später lüften …

Liebe Jutta,

das hört sich bei dir irgendwie nach Stress an. Lass uns unser Treffen einfach um eine Woche verschieben. Wir sollten unser Kennenlernen ganz entspannt angehen. Ich drücke die Daumen, dass dein Großer bald wieder fit ist und du die Arbeit schnell auf Schwafelniveau runterge- schraubt hast.

LG Dirk

25 Mails später waren wir wieder verabredet. Morgen Abend in Heidelberg, 20 Uhr. Ich soll sie zu Hause abholen. Sie wohnt mitten in der Altstadt. Am Marktplatz.

Um kurz nach acht klingele ich. Die Haustür geht auf und sie steht vor mir: Endlos lange Beine und noch schöner als auf den Fotos. Sie trägt eine weiße Pelzmütze und sieht damit aus wie eine russische Ge- heimagentin aus einem James-Bond-Film. Mir bleibt die Luft weg.

Wir sind uns von Anfang an sympathisch und la- chen viel. In der Gasthausbrauerei finden wir einen gemütlichen Platz und sitzen uns gegenüber. Wir trinken Bier und Jutta erzählt mir von ihrem Beruf.

Sie ist Ghostwriterin und schreibt Doktorarbeiten für reiche Schnösel. Dafür erhält sie fürstliches Honorar und muss Verträge unterschreiben, die sie zum Stillschweigen verpflichten. Ich fasse es nicht: Verwöhnte Studenten genießen Dolce Vita, während Jutta Tag und Nacht für sie schreibt. Darüber rege ich mich noch eine ganze Zeit lang auf und entlocke ihr weitere Details.

Wir wechseln das Thema und reden über meinen Beruf und mein Hobby. Dann erzählt sie von ihren Söhnen und dass ihr drittes Kind bei der Geburt gestorben sei. Die Kinder sind von verschiedenen Männern, mit denen sie noch immer vor Gericht streitet. Die Besuchsrechte der Väter seien durch das Jugendamt geregelt. Ihre längste Beziehung dauerte bislang eineinhalb Jahre. Mir wird klar: Irgendwas stimmt mit der Frau nicht. Vorsicht ist angesagt. Äußerste Vorsicht!

Wir essen. Ich entscheide mich für ein Steak, sie bestellt – er stand tatsächlich auf der Karte: Ochsenschwanz. Dabei betont sie auffällig die dritte Silbe und lächelt mich verführerisch an. Beim Essen spielt sie immer wieder mit der Zunge an ihrer Gabel. Ihr Kopf neigt sich dabei und sie schaut mich lasziv an.

Ab und zu macht sie subtile Anspielungen auf ihre Lust und ihr Verlangen in einer Partnerschaft. „Ich bin eigentlich Frühaufsteherin, es sei denn, es gibt noch einen Grund, im Bett zu bleiben", sagt sie und spielt dabei mit ihren Haaren. Ich bin von ihrer Schönheit fasziniert. Ihre sexuelle Anziehungskraft ist enorm.

Der Abend ist schön und hätte stundenlang so weitergehen können. Bis zu dem Moment als mir Jutta von ihrem Kinderwunsch erzählt: „Ich will in den nächsten drei Monaten wieder schwanger werden."

„Wie, in den nächsten drei Monaten wieder schwanger werden?", frage ich.

„Ja, ich will noch zwei Kinder und in den nächsten drei Monaten schwanger werden."

Dann streichelt sie über meine behaarten Unterarme. „Genügend Testosteron hast du ja." Sie lächelt mich an und leckt sich verführerisch über ihre Lippen. „Mehr als der andere Kandidat, den ich gestern traf. Er war evangelischer Pfarrer und überhaupt, du bist viel lustiger, mit dir könnte ich mir ein Kind gut vorstellen. Also, was ist? Ich will ein Kind, machst du mit?"

„Ich bin doch kein Zuchtbulle", sage ich. Wir lachen.

Eine Stimme in mir sagt: „Beherrsch dich, Dirk, die Frau tickt nicht mehr ganz richtig. Die schwängerst du und dann bricht die Hölle los." Ich höre aber auch eine andere Stimme sagen: „So eine Gelegenheit bekommst du so schnell nicht wieder. Die wird schon nicht gleich beim ersten Mal schwanger."

„Und wenn doch? Die plant ihre Dates bestimmt nach dem Fruchtbarkeitskalender."

„Ach was, hör nicht auf ihn. Die will nur ein bisschen Spaß."

Mir fällt auf einmal Boris Becker ein und sein Samenraub in der Besenkammer.

Was also tun? Mein Plan: weg hier, nichts wie weg hier. Doch Jutta hat andere Pläne. „Begleitest du mich nachhause?", fragt sie. „Ja, klar. Aber ich komme nicht mehr mit rauf. Das ist mir zu gefährlich." Wir lachen.

Da ich in der Altstadt parke und Jutta dort wohnt, kann ich ja schlecht nein sagen. Wir schlendern gemeinsam zu ihr. Sie hat sich bei mir eingehakt und lehnt immer wieder ihren Kopf an meine Schulter.

Vor ihrer Haustür haucht sie mir ins Ohr: „Kommst du doch noch mit nach oben?" Dann flüstert sie ein erotisches „bitte, bitte" hinterher. Mir wird heiß und kalt.

Wie ich es geschafft habe, zu widerstehen? Ich weiß es nicht. Die komplette Heimfahrt musste ich allerdings die Fenster offenlassen und das bei minus fünf Grad.

Bei Jutta habe ich mich nach diesem Abend nicht wieder gemeldet und auch von ihr habe ich nie wieder etwas gehört.

Seit diesem Date bin ich überzeugt: Es gibt sie wirklich, die Sirenen, und Homer hätte auch über meine Irrfahrten ein paar Zeilen geschrieben. Und im Mittelalter hätten sie bestimmt Lieder über meine heldenhafte Standhaftigkeit gesungen.

Der sofortige Kinderwunsch ist mir während meiner Partnersuche noch einmal begegnet: Sie hieß Simone, war 37 und hatte keine Kinder. Wir trafen uns zwei Mal und verstanden uns gut. Das dritte Date war ein Candle-Light-Dinner bei ihr zuhause. Nach dem Essen zeigte sie mir ihre Wohnung. Zuerst das Kinderzimmer. Ja, genau: das Kinderzimmer. Darin standen eine Wiege, ein Kinderbett, eine Wickelkommode und ein Kinderwagen. Über dem Bettchen hing ein Mobile, an der Decke eine Kinderlampe. Die Sachen seien von ihrer Schwester, die bereits zwei Kinder habe. An dieser Stelle endete dann die Wohnungsbesichtigung und ich ergriff die Flucht.

Kapitel 9

Gefahr in Verzug

Februar 2010

Heute Abend treffe ich Paula. 1,72 Meter groß, kurze braune Haare, braune Augen. Ein südländischer Typ. Auf ihren Fotos sieht sie sympathisch und sexy aus.

Nach einigen Mailwechseln sind wir verabredet. Paula schlug vor, bei mir im Dorf in eine Weinstube zu gehen. Gute Idee. Ich sagte zu, was sprach dagegen? Um acht Uhr will sie mich abholen.

Kurz vor acht. Es klingelt. „Ich komme gleich", rufe ich und ziehe meine Jacke an. Voller Vorfreude öffne ich die Haustür: Vor mir steht mein Nachbar Klaus. Er streckt mir eine Flasche Mirabellenbrand entgegen. „Nachträglich noch alles Gute zum Geburtstag. Ist selbstgebrannt, von meinem Onkel", sagt er. „Willst du noch weg?"

„Ich bin zum Essen verabredet. Sie wollte eigentlich um acht da sein."

„Aha, wieder ein Date? Komm, wir trinken noch schnell einen auf deinen Geburtstag, das macht dich schön locker", sagt er und grinst. „Also erstens ist mein Geburtstag schon beinahe einen Monat her und zweitens will ich sie nicht gleich mit einer Schnapsfahne begrüßen."

„Dagegen hab' ich auch was", sagt Klaus und zieht eine Packung Pfefferminzbonbons aus seiner Tasche. „Ein ander Mal, ich melde mich."

„Na dann viel Spaß und fang dir nichts ein", sagt er und lacht.

Halb neun. Endlich ist Paula da. „Ich wurrrdeee aufgehalten, entschuldigeee", sagt sie mit osteuropäischem Akzent. Oder war es russisch? „Mein Deutsch ist nicht seeeehrrr guud", sagt sie, und erzählt, dass sie aus Rumänien ist und erst seit drei Jahren in Deutschland lebt. Was mich irritiert: Ihr richtiger Name ist nicht Paula. „Ich heiße Magdalena. Paula ist nuurrr mein Kiennstlerrrnameee im Iiienterrrneeet", sagt sie und lacht.

„Mein Künstlername ist Lauer, Rudi Lauer. Ich komme aus dem Saarland." Als kleine Kostprobe meines Dialekts sage ich: „Schloofe sie a so schlecht in letschder Zeit?" Wir lachen und machen uns auf den Weg zur Weinstube. Ob sie mich verstanden hat oder nur aus Sympathie lacht, weiß ich nicht.

Der Abend beginnt vielversprechend. Wir trinken Wein und essen Käse dazu. Danach Winzersteak mit Bratkartoffeln. Magdalena erzählt mir von Rumänien, ich ihr vom Saarland. Sie mir von ihrem Vater, der dort Zahnarzt ist. Ich von meinen Eltern und meiner Kindheit. Sie wohnt in Ludwigshafen und ist Sekretärin. Ich bin Redakteur und wohne ...

Ach du Scheiße, sie weiß, wo ich wohne, schießt mir durch den Kopf. Mein Gott, Omlor, du bist auf einen der ältesten Tricks der Welt hereingefallen. Während eine Frau dir hier den Kopf verdreht und dich unter ihrer Kontrolle hat, räumen sie dir zuhause die Bude aus.

„... das ist mein Kinnstlerrrrnaaame", geht mir wieder durch den Kopf. Vielleicht heißt sie auch nicht Magdalena, sondern Natascha, Olga oder ganz anders. Magdalena hört sich fromm und ehrlich an. Vielleicht ist sie gar keine Sekretärin, sondern eine ...

Mir bleibt die Luft weg. Jetzt bin ich ganz sicher: Sie ist von Einbrechern engagiert worden oder sogar

Teil der Bande. Ein gut durchdachtes System: Die Adresse von Single-Männern über das Partnerportal erfahren und sie dann aus ihrer Wohnung locken. Raubzüge 2.0, digital eingefädelt. Chapeau!

Magdalena erzählt munter weiter. Über ihre Jugend und ihre letzte Beziehung. Ich kann kaum zuhören und sehe vor meinem geistigen Auge finstere Gestalten in meiner Wohnung. Sie schleppen meinen Fernseher, den DVD-Spieler und den Computer in ihren dunkelblauen Lieferwagen, der direkt vorm Haus parkt. Wenn ich nachhause komme, wird alles weg sein, so viel steht fest. Genügend Zeit haben sie ja. Ich werde immer nervöser und breche schließlich den Abend unter dem Vorwand einer Magenverstimmung ab. Magdalena begleitet mich noch ein Stück, dann verabschieden wir uns.

Als ich nachhause komme, ist der Lieferwagen bereits weg. Kein Wunder, sie wurden schließlich rechtzeitig vorgewarnt. An meiner Haustür der Beweis: Profis waren am Werk. Keinerlei Einbruchspuren zu sehen. In der Wohnung: nichts. Nichts war passiert. Niemand war eingebrochen. Fernseher, Computer, alles noch da. Ich habe ein schlechtes Gewissen. Wie kann man bloß so misstrauisch sein.

Ich kann es kaum glauben: Durch ihren rumänischen Akzent bin ich tatsächlich voll in die Klischee-Falle getappt. Von wegen Räuberbanden aus dem Ostblock und so. Allein die Tatsache, dass sie mir beim Online-Kennenlernen einen falschen Namen nannte, hat mich zwar noch nicht misstrauisch gemacht. In Kombination mit ihrem Akzent schrillten bei mir aber alle Alarmglocken. Asche auf mein Haupt! Wobei, raffiniert wäre der Trick schon gewesen.

Ich habe mich nach diesem Abend noch ein zweites Mal mit Magdalena getroffen. Es war nett und im Gegensatz zum ersten Mal deutlich entspannter. Gepasst hat es trotzdem nicht. Es gab kein drittes Treffen.

Einige Wochen später kam ich aber bei einem anderen Date wirklich in eine gefährliche Situation: Sie hieß Heike und wohnte genau wie Magdalena in Ludwigshafen. Unser erstes Treffen war schön. Heike war nett. Was ich jedoch merkwürdig fand, war der Zustand mit ihrem Exfreund: „Wir wohnen zwar noch zusammen, sind aber seit einem halben Jahr getrennt. Da läuft absolut nichts mehr", versichert sie mir. „Wir suchen beide noch eine passende

Wohnung, solange sind wir eine WG." Ich glaubte ihr, hatte aber irgendwie kein gutes Gefühl. Dennoch verabredete ich mich ein zweites Mal.

Wir treffen uns in einem kleinen Café in Ludwigshafen. Sie humpelt mit Krücken auf mich zu. An ihren Unterarmen sehe ich blaue Flecken. „Ich bin gestern die Treppe heruntergefallen und habe einen Bänderriss im linken Fuß", erklärt sie. „Und jetzt bist du alleine hierher gehumpelt? Ich hätte dich doch abgeholt."

„Ich wohne gleich um die Ecke, sind nur ein paar Meter. War kein Problem." Ich frage nach weiteren Details zu dem Unfall und merke schnell, da stimmt was nicht. Was mir besonders auffällt: Während sie erzählt, geht ihr Blick immer wieder zum Eingang und sie spielt nervös mit ihren Händen.

„Ich glaube dir die Geschichte nicht", sage ich. Sie schaut mich an, bekommt feuchte Augen und fängt an zu weinen. Schluchzend schildert sie, dass ihr Freund sie verprügelt hat. Er sei brutal und extrem eifersüchtig. Sie wollte weglaufen, sei dabei aber gestürzt und habe sich den Fuß verletzt. Er habe sich dann aber schnell wieder beruhigt und sie ins Krankenhaus gebracht.

„Ich dachte, ihr seid nicht mehr zusammen?"

„Er lässt mich nicht gehen. Allein schaffe ich das nicht, ich brauche deine Hilfe", sagt sie und muss erneut heftig weinen. Die Leute um uns herum tuscheln bereits. Ich reiche ihr ein Päckchen Tempos und schaue zum Eingang. Mit zitternder Stimme sagt sie: „Ich muss nachhause, er kommt jeden Moment vom Sport."

Jetzt werde auch ich nervös.

Du musst wissen, mein letzter Nahkampf liegt bereits über 30 Jahre zurück. Damals war ich neun und machte Judo. Doch ich bezweifle, dass ich das heute noch kann. Außerdem fehlen hier die Matten. Mein Entschluss: sofort weg. „Es tut mir leid, Heike, ich kann dir nicht helfen." Ich bezahle und gehe. Hinter mir höre ich lautes Schluchzen.

Ich stand unter Schock und kann mich an die Heimfahrt nicht mehr genau erinnern. Meine Wohnungstür schloss ich die nächsten Tage besonders gut ab und auf der Straße schaute ich mich immer wieder nervös um. Von Heike habe ich nie wieder etwas gehört.

Im Nachhinein bin ich froh, heil aus der Sache rausgekommen zu sein. Ich habe noch oft darüber nachgedacht, ob ich ihr nicht hätte helfen müssen, bin aber zu dem Schluss gekommen: Nein, helfen mussten hier andere. Wir kannten uns gerade einmal ein paar Stunden und ich bin mir noch nicht einmal sicher, ob die Geschichte, die sie mir erzählte, tatsächlich gestimmt hat.

Kapitel 10

Frühstück mit Dr. Sommer

Achtung! Es folgen sexuelle Inhalte. An meine Töchter, Verwandte, Freunde, Bekannte und Nachbarn: Bitte dieses Kapitel unbedingt überspringen!

April 2010

Bei meiner heutigen Suche fällt mir ein Profil besonders positiv auf. Allerdings ist das Foto nicht freigegeben, das heißt, es ist unscharf, völlig verpixelt. Außerdem steht kein Name dabei. Stattdessen „P1DS2YH7B". Ich schreibe eine Kontaktanfrage:

25.4.2010, 13:34 Uhr

Hallo Unbekannte,

dein Profil gefällt mir. Ich schalte dir meine Fotos frei und freue mich, von dir zu lesen. Liebe Grüße, Dirk

25.4.2010, 20:10 Uhr

Lieber Dirk,

ich lese jetzt erstmal deinen Steckbrief und dein „du über dich" genauer! Ich finde es sehr freundlich, dass du dein Foto so früh aufdeckst, ich hatte mir vorgenommen, meines gar nicht zu zeigen!

26.4.2010, 18:57 Uhr

Hallo P1DS2YH7B,

verrätst Du mir wenigstens deinen Namen? Oder lassen wir's gleich ...?

Grüße Dirk

26.4.2010, 19:33 Uhr

Hallo Dirk,

ich konnte gestern nicht zurückschreiben und nur schnell die drei Zeilen tippen. Aber immerhin habe ich ein Foto hochgeladen, was aber noch nicht freigegeben ist, oder kann man was sehen????

Ich heiße Melanie und wohne in der Nähe von Heidelberg, wo ich vor sechs Wochen erst hingezogen bin. Und obwohl ich aus der Region komme, muss ich mich erst wieder an alles gewöhnen. Hätte nicht gedacht, dass das so schwierig ist!

Also, wenn Du es nicht doch gleich lassen möchtest, freue ich mich auf eine Antwort!

Viele Grüße

Melanie

Es gab danach noch einige Mailwechsel, doch ihr Foto bekam ich nie zu sehen. Melanie sagte, das System könne es aufgrund technischer Probleme nicht freischalten.

Obwohl ich also nicht einmal wusste, wie sie aussah, verabredete ich mich mit ihr. Das Einzige, das sie mir verriet, war: Sie ist zierlich und hat schulterlange dunkelblonde Haare. So beschrieb sie sich jedenfalls in ihrem Profil. Ich ließ mich überraschen.

Wir sind um acht Uhr in einem Café in der Heidelberger Innenstadt verabredet. Sie werde vor der Tür auf mich warten, schrieb sie in ihrer letzten Mail. Auf dem Weg dorthin habe ich mich jedoch verfahren und bin deshalb bereits ein paar Minuten zu spät.

Vom Auto aus rufe ich Melanie an. In der Zielstraße bin ich bereits. Das Café muss hier irgendwo sein. Im Schritttempo suche ich die Häuserfassaden ab. Genau in dem Moment als sie ans Telefon geht, fahre ich an ihr vorbei. Auf den ersten Blick sieht sie aus wie beschrieben: Zierlich und blond.

„Ich warte drin auf dich. Hier draußen komme ich mir langsam blöd vor", sagt sie mit einem leicht gereizten Ton. Ein paar Minuten später komme ich in das Café. Sie steht in der Nähe des Eingangs an einem Stehtisch und lächelt mich an. „Hallo Dirk, ich bin Melanie. Du siehst aus wie auf dem Foto", sagt sie und grinst. „Hallo Melanie, schön Dich endlich zu sehen." Wir begrüßen uns mit Küsschen rechts, Küsschen links.

Ihre blauen Augen strahlen mich an. Sie ist nicht groß, aber auch nicht klein und hat einen knackigen Hintern. Besonders hübsch ist sie nicht, aber auch nicht hässlich. Wenn ich sie dir heute mit wenigen Worten beschreiben müsste, würde ich sagen, Melanie ist vom Typ her eher Durchschnitt, hat aber eine enorme Anziehungskraft.

Wir sprechen über unsere Dating-Erfahrungen, über Beziehungen und über Gott und die Welt. Auffallend dabei: Sie hatte in der Vergangenheit oft Beziehungen mit deutlich älteren Männern. „Mein ältester Freund war 30 Jahre älter als ich."

„Sehe ich wirklich so alt aus?", frage ich.

„Was meinst du, warum wir hier sitzen?"

„Na dann, prost." Wir lachen.

Sie hat eine dreijährige Tochter. Auch der Vater ihres Kindes ist beinahe 20 Jahre älter als sie, und die Beziehung mit ihm war vorbei, bevor das Mädchen auf die Welt kam. Melanie spricht sehr offen über alles. Das finde ich gut. Was mir allerdings nicht gefällt: Sie hatte bereits sehr viele Beziehungen und ihre längste hielt gerade einmal eineinhalb Jahre. Vorsicht war also geboten.

Um halb zwölf machen wir uns auf den Heimweg. Wir verabschieden uns und Melanie gibt mir einen Kuss auf die Wange. „Ich mag dich, doch Du musst mit mir etwas Geduld haben", sagt sie. Was immer das bedeuten mag, denke ich mir. Wir verabreden uns für nächsten Sonntag zum Frühstück in Heidelberg. In einem Café direkt am Neckar.

Zweite Warnung an meine Töchter: Ab hier nicht weiterlesen und zum nächsten Kapitel blättern! Jetzt! Sofort!

Sonntagmorgen, 10 Uhr: Melanie bestellt Rührei mit Krabben, ich Brötchen mit Marmelade. Schon beim ersten Treffen fiel mir ihre Offenheit auf. Doch jetzt legt sie noch einen drauf und spricht über ihre sexuellen Vorlieben und Fantasien. Beim zweiten Date, beim Frühstück! Ich fasse es nicht.

Das Gespräch fängt für mich allerdings harmlos an. „Ich mag es ab und zu griechisch", sagt Melanie und grinst. Es dauert eine Zeit lang, bis ich begreife, dass sie kein Essen meint. Sie klärt mich auf, dass griechisch die Beschreibung für Analverkehr ist, was ich bis zu diesem Zeitpunkt, das musst du mir wirklich glauben, nicht wusste. Wir lachen und ich sage ihr, dass ich damit keinerlei Erfahrungen habe. Sie schildert, was man dabei alles beachten muss und beschreibt jedes Detail. Wirklich jedes. Sie erklärt mir ganz genau, was passieren kann, wenn man gewisse Dinge vorher eben nicht macht. Glaube mir, die Bilder gehen mir bis heute nicht mehr aus dem Kopf.

„So genau wollte ich es gar nicht wissen", sage ich und beiße in mein Marmeladenbrötchen.

Melanie wechselt das Thema: „Auf welchen Internetseiten holst du dir regelmäßig einen runter?" Ich verschlucke mich, werde rot und stammele: „Äh, ich, äh…" Sie lacht. „Ich kenne da einige gute Webseiten, die ich mir regelmäßig anschaue und dabei mit meinem Vibrator spiele." Mit verschlägt es die Sprache. Doch Melanie legt noch einen drauf: „Ich gehe auch öfter in Swingerclubs. Würdest du da mitkommen?"

Ich schlucke. „Auf gar keinen Fall."

„Na, dann wird das mit uns nicht klappen", sagt sie und erklärt mir, dass ihr ein Mann auf Dauer im Bett nicht reiche und sie sich öfter auch zu Frauen hingezogen fühle. Im Swingerclub würden ihre Bedürfnisse voll und ganz befriedigt, klärt sie mich auf.

Du musst wissen, ich gönne jedem seinen Spaß. Ich kann aber mit Partnertausch und Gruppensex nichts anfangen. Ich möchte nicht, dass ein anderer meine Freundin knattert während ich dabei zusehe. Außerdem bevorzuge ich eine einzige Frau im Bett, auf die ich mich voll und ganz konzentrieren kann. Zwei würden mich völlig überfordern. Definitiv. Da hätte keiner was davon. Und bei dem Gedanken an einen Swingerclub vergeht mir, unter uns gesagt, der Appetit. Und zwar auf alles. Alleine die Vorstellung von den Gerüchen dort … Halleluja!

Melanie klärt mich weiter auf. „Weißt du eigentlich, dass es klitorale und vaginale Orgasmen gibt? Ich bin eher der vaginale Typ", sagt sie. Na prima! Ich bin mit Dr. Sommer zum Frühstück verabredet. Jetzt mal im Ernst: Willst du das so genau wissen, bevor du zusammen in der Kiste bist? Nein! Ich versuche das Thema zu wechseln, doch Melanie kennt nur noch eins: Sex, Sex, Sex. Hilfe, ich habe eine Nymphomanin gedatet! Hoffentlich hat die mir keine K.o.-Tropfen in den Kaffee getan, und ich wache später im Swingerclub wieder auf. Gefesselt zwischen schwitzenden, erregten Leibern und lautem Gestöhne. Um mich herum klebrige Bettlaken und jede Menge Moschus. Die Fantasie geht vollkommen mit mir durch und ich höre Melanie nur noch wie durch Watte reden. Worte wie Penisring, Gleitcreme und Stehvermögen dringen an mein Ohr. Hilfe, ich muss hier weg …

Dass Melanie mich viel zu prüde fand und wir uns nach diesem Frühstück auf Nimmerwiedersehen verabschiedet haben, brauche ich wohl nicht mehr weiter zu vertiefen.

Dritte Warnung, letzte Warnung! Tochter 1 und Tochter 2: Weiterlesen ab hier allerstrengstens verboten. Sofort zum nächsten Kapitel! Jetzt!

Dich interessiert bestimmt, was ich während meiner Partnersuche noch so alles im Bett erlebt habe. Fangen wir mit etwas Harmlosem an: Sie hieß Nicole kam aus Neustadt und war Lehrerin. Gleich vorweg: Mit ihr lief nichts. Sie küsste nämlich nicht gerne. Also nicht nur mich, sondern generell. Sie hasste Küssen. Sie hatte eine regelrechte Phobie davor. Sie ekelte sich vor dem Austausch von Speichel. Dabei ist Küssen für mich ganz wichtig und ein essentieller Teil der Partnerschaft. Für Nicole nicht, sie wollte definitiv nicht geküsst werden. Für mich war damit Schluss, bevor es überhaupt angefangen hatte.

Dann gab es Silke, 38 Jahre alt und Psychologin, aus der Nähe von Mannheim. Sie wollte beim Sex immer drei Dinge gleichzeitig: von hinten, ich musste ihr dabei den Hintern versohlen und sie beschimpfen.

Sie schrie so laut, dass ich Angst hatte, die Nachbarn würden die Feuerwehr rufen. Taten sie aber nicht, sie waren das wahrscheinlich gewohnt. Einmal hatte ich sogar Brandblasen auf meinen Zehen, weil vorm Sofa ein Polyester-Teppich lag und ich dort hinter Silke derart zugange war, dass mir die Reibungswärme die Zehen verbrannte. Ich musste tagelang Pflaster tragen.

Anfangs fand ich Silkes sexuelle Neigungen sogar reizvoll, es war mal was anderes. Doch mit der Zeit fielen mir keine neuen Schimpfwörter mehr ein, und sie wollte ständig neue. Genau das war eines meiner vielen Probleme mit ihr. Die gängigen Schimpfwörter fallen dir nämlich gleich ein. Aber denk mal darüber nach: Auf wie viele kommst du, die sich beim Sex eignen? Lustig ist das im Nachhinein schon, doch damals ging das nach kurzer Zeit in die Hose.

Ebenfalls auf die rauere Art stand Steffi aus Landau. Sie fuhr auf Rollenspiele ab. Es törnte sie so richtig an, wenn sie spielerisch vergewaltigt wurde. Ich sollte ihr die Klamotten vom Leib reißen, sie aufs Bett werfen und einfach weitermachen, auch wenn sie ihre Beine zusammenpressen würde und um Hilfe schreie, so ihre Anweisungen. Glaube mir, bei unseren Treffen davor machte sie einen völlig harmlosen Eindruck. Wie konnte sich eine Frau so verstellen? Ich war baff. Du musst wissen, ich habe den Kriegsdienst verweigert. Und jetzt soll ich überfallen und vergewaltigen? Soll den bösen Buben geben und Lust dabei empfinden? Nichts ging mehr und ich verabschiedete mich höflich.

Was mich ebenso wenig stimuliert, sind genaue Anweisungen meiner Bewegungen und meines Rhythmus. Damit meine ich nicht „schneller, schneller" oder „fester, fester", sondern eben genaue technische Anleitungen. So wie bei Katja, einer Pressesprecherin aus Mannheim. Ihr Kommando im Bett lautete: „Kreisen, drücken und Geduld haben." Das wiederholte sie wie ein Mantra, immer und immer wieder, bis es vollbracht war. Doch jetzt mal ehrlich: Wer steht denn auf so was?

Und dann war da noch Kerstin. Sie kam aus Frankenthal und hatte einen Hund. Einen großen schwarzen Hund. So eine Art Neufundländer mit langem Zottelfell. Er schlief bei ihr im Schlafzimmer, auf einer Decke neben dem Bett. Glaube mir, es roch wie im Zoo.

Vom Geruch, den das Tier verströmte, einmal abgesehen, kam ich damit generell nicht klar. Dabei mag ich Hunde. Ich hatte früher selbst einen. Doch für mich hat ein Hund im Schlafzimmer nichts verloren. Erst recht nicht, wenn Herrchen und Frauchen intim werden. Bei Kerstin war das anders. Ihr Hund musste bleiben. Er musste zuschauen. Kerstin wollte das so und vielleicht törnte sie so ein tierischer Zuschauer sogar an, wer weiß. So sitzt der Hund wahrscheinlich heute noch neben ihrem Bett und muss ihr Treiben beobachten. Oh je, der Ärmste.

Nicht, dass du jetzt einen falschen Eindruck von mir bekommst und denkst, ich bin mit allen in die Kiste, die nicht schnell genug auf den Bäumen waren. Nein, im Gegenteil. In meiner beinahe zweijährigen Suche traf ich zwar viele Frauen, doch nur mit wenigen wurde es intim. Und das erst nach vielen Treffen und der Hoffnung auf eine gemeinsame Zukunft. Die Enttäuschung war jedes Mal groß, wenn es nicht funktionierte. Es fühlte sich immer wie versagen an. Inzwischen weiß ich: Wenn es im Bett nicht klappt, kannst du alles andere auch vergessen.

Kapitel 11

Müllers Lust (garantiert sexfrei)

Mai 2010

Ab und zu wandere ich. Meist sonntags für ein paar Stunden. Meist alleine, denn meine Töchter wandern nicht gerne. Wenn ich an meine Kindheit und Jugend zurückdenke, kann ich es irgendwie nachvollziehen. Es gab damals kaum etwas Langweiligeres für mich als den Sonntagsspaziergang im Wald oder die Wandertage in der Schule. Ich mochte es nicht. Warum weiß ich nicht mehr. Heute ist das anders.

Mit meinen Töchtern bin ich zwar öfter im Wald, aber nicht wandern. Ich erzähle ihnen Geschichten über Tiere und Bäume und im Herbst sammeln wir Kastanien. Keine Pilze. Damit kenne ich mich erstens nicht aus und zweitens wegen der Leichen. Die werden nämlich im Wald immer von Pilzsammlern entdeckt. Und darauf habe ich definitiv keine Lust.

Einmal konnte ich meine Töchter tatsächlich zu einer Wanderung überreden. Ich erzählte ihnen vom Drachenfelsen, einem sagenumwobenen Ort mitten im Pfälzerwald, zu dem ich mit ihnen laufen wollte. Damit hatte ich sie. Wir packten einen kleinen Rucksack und machten uns auf den Weg. Eine Wanderkarte brauchte ich nicht, ich kannte die Strecke. Im Wald erzählte ich Geschichten über Siegfried, den Drachentöter und seinen wilden Kampf mit der Bestie. Gefesselt von meinen eigenen Erzählungen habe ich auf dem Rückweg doch tatsächlich eine Abzweigung übersehen. Wir liefen lange in die falsche Richtung und dann wurde es auch noch dunkel und wir hörten die Wildschweine grunzen. Erst nach Stunden kamen wir völlig erschöpft zum Auto. Seitdem ist Wandern für meine Töchter endgültig tabu. Sie weigern sich.

Für mich gibt es aber kaum etwas Erholsameres. Es ist die reinste Meditation. Beim Laufen denke ich über alles Mögliche nach und finde meine innere Ruhe. Am liebsten wandere ich im Frühjahr, wenn die Natur erwacht und die Blätter den Wald in ein helles Grün tauchen. Dabei spielt es keine Rolle, ob die Sonne scheint oder ob es regnet. Beides ist schön.

Ich höre den Vögeln zu oder genieße bei schlechtem Wetter den Klang der Regentropfen auf den Blättern.

Einmal im Jahr mache ich mit meinem Freund Patrick, du kennst ihn bereits von meinem Sauna-Abenteuer, eine mehrtägige Wandertour. Meist über das Vatertags-Wochenende. Es läuft immer gleich ab: Wir reisen mittwochs mit dem Auto an, wandern drei volle Tage und fahren sonntags wieder zurück. Täglich laufen wir zwischen 20 und 30 Kilometer. Wochen bereiten wir alles akribisch vor. Wir suchen uns eine Gegend aus, besorgen Wanderkarten und planen die Routen. Wichtig dabei: Am Abend wollen wir immer in einem schönen Gasthof übernachten, mit guter regionaler Küche und Bier aus der Region. Und genau das ist die größte Herausforderung. Das musst du nämlich erst einmal finden.

Sobald alles steht, reservieren wir Zimmer. Unser Auto lassen wir am Startpunkt stehen und fahren am Ende der Tour mit Bus oder Bahn wieder dorthin zurück. Dieses Jahr geht's nach Franken. Genauer: nach Bamberg. Die Planung steht. Trotz der wenigen Höhenmeter, die wir überwinden müssen, werden wir nur etwa 20 Kilometer pro Tag laufen. Auf der Strecke liegen nämlich jede Menge Brauerei-Gasthöfe.

Normalerweise bereite ich mich auf unsere Wanderungen gut vor. Ein Muss: Patrick ist zehn Jahre jünger als ich und sehr sportlich. Meine Vorbereitung sieht in der Regel so aus, dass ich die Wochen davor jeden Samstag und Sonntag ein paar Stunden wandern gehe und dabei möglichst viele Höhenmeter laufe. Mein Muskelkater wird dann von Woche zu Woche weniger und wenn wir schließlich auf Tour gehen, bin ich einigermaßen fit. Nicht in diesem Jahr: Meine Vorbereitung fiel der Partnersuche zum Opfer. Um das Schlimmste zu verhindern, besorgte ich in der Apotheke Magnesium-Tabletten gegen Muskelkrämpfe und einen großen Tiegel Pferdesalbe gegen Muskelkater. Dazu noch Alka-Seltzer gegen den Rest.

12. Mai 2010

Die Anreise verläuft reibungslos. Gegen 18 Uhr kommen wir in Bamberg an. Zum Abendessen geht's in das älteste Wirtshaus der Stadt. Wir bestellen fränkische Bratwürste, dazu Rauchbier. Zugegeben, anfangs etwas gewöhnungsbedürftig, doch nach dem dritten Seidla, so heißen hier die Gläser, läuft's. „Man gewöhnt sich dran", sage ich. „Ich hatte vor Jahren einmal eins probiert, das hat geschmeckt wie flüssiger Schinken", sagt Patrick.

„Das kenn' ich auch, aber das hier schmeckt echt lecker", sage ich und bestelle noch zwei. Es ist ein entspannter Abend. Mit jedem Bier wird unser Gespräch tiefgründiger. Am Ende philosophieren wir über Gott und die Welt. Dabei fühlen wir uns großartig und sind bereit für neue Taten. Männer eben.

Ich erwache am nächsten Morgen und stelle fest: definitiv zu viele Rauchbiere. Ich muss mit Alka-Seltzer gegensteuern. Um 10 Uhr lassen wir Bamberg hinter uns und laufen auf dem Steigerwald-Panoramaweg. Von Panorama jedoch keine Spur. Seit gut einer Stunde wandern wir nur durch den Wald. Bergauf. Patrick geht voran. Er ist fit. Nach einer weiteren Stunde erreichen wir den Brauerei-Gasthof zur Sonne. Jetzt sei ehrlich: Würdest du hier vorbeilaufen? Wir bestellen Helles. Es schmeckt köstlich. Ich trinke es beinahe in einem Zug. Patrick bestellt Wurstsalat, ich gerupften Käse, das ist so eine Art Obatzter, also zerdrückter Camembert mit irgendwas.

Das Essen kommt. Ich bin überrascht: Die Kellnerin stellt mir einen großen Teller voller Zwiebelringe hin. Eine riesige Menge Zwiebeln, darunter entdecke ich schließlich den Käse. „Das gehört so", erklärt mir ein älterer Mann vom Nachbartisch. „Du musst den Gerupften mit den Zwiebeln essen, dazu Brot und Bier. Es gibt kaum was Besseres." Er hat Recht und ich esse tatsächlich den ganzen Berg Zwiebeln. Wir sind schließlich unter uns und ich habe keine Dates.

Zwei Stunden später bereue ich es. Ich lasse Patrick vorangehen und singe lauthals Wanderlieder. Die Zwiebeln, frage nicht!

Dann endlich: Wir kommen zum nächsten Brauerei-Gasthof. Dort halten wir uns viel länger auf als geplant und kommen deshalb erst so gegen acht in unserer Unterkunft an. Ich bin am Ende. Ich hätte weniger Bier trinken sollen. Die letzten zehn Kilometer fühlten sich an wie eine Ewigkeit. Es war die Hölle. Über eine Stunde steil bergauf. Von wegen keine Höhenmeter. Jetzt brennen die Beine und ich quäle mich die Stufen hoch in den dritten Stock zu meiner Stube. Mit letzter Kraft schleppe ich mich unter die Dusche. Warmes Wasser prasselt auf meinen Rücken und über meinen Kopf. Was für eine Wohltat.

Nach dem Duschen greife ich zu meiner Geheimwaffe: der Pferdesalbe. „Für Pferde entwickelt, für

Menschen entdeckt", steht auf der Packung. Was für einen Pferdemuskel gut ist, sollte auch meine Muskulatur wieder auf Vordermann bringen. Das Zeug zischt regelrecht auf der Haut. Es kühlt und wärmt gleichzeitig. Meine Oberschenkel werden knallrot und ich frage mich, was passiert, wenn ich jetzt meine Hose wieder anziehe. Werde ich danach überhaupt noch eine Hose haben?

Mit schweren Beinen eiere ich die drei Stockwerke hinab in die Wirtsstube. Patrick sitzt an einem Tisch in der hinteren Ecke. „Hast du in Menthol gebadet?", fragt er als ich mich zu ihm setze. „Das ist Pferdesalbe, das Beste, was es gibt nach so einem Tag."

„Das Beste, was es nach so einem Tag gibt, ist deftiges Essen und Bier", sagt er und lacht. Dem kann ich nicht widersprechen. Wir bestellen Schäufele, eine fränkische Spezialität. Danach Verdauungsschnaps. So gegen elf liege ich im Bett. Und glaube mir, es gibt kaum etwas Schöneres als satt und zufrieden nach einer anstrengenden Wanderung im Bett zu liegen. Die Beine fangen an zu schweben und der Schlaf, in den man nach kurzer Zeit fällt, ist tief und fest.

Nicht dieses Mal. Ich beschloss nämlich, die Wundersalbe noch einmal aufzutragen und über Nacht einwirken zu lassen. Ob ich Koordinationsstörungen von den vielen Bieren hatte oder einfach nur unachtsam war, kann ich heute nicht mehr genau sagen. Beim Einreiben der Oberschenkel bin ich jedenfalls ...

du glaubst nicht, was los ist, wenn Pferdesalbe an die falschen Stellen gelangt ...

Aus einem Reflex heraus versuche ich, das Zeug wegzuwischen, verteile es aber dadurch erst so richtig schöööööön da unten. Es brennt und zischt und fühlt sich an, als bekäme ich gleichzeitig Brandblasen und Frostbeulen im Schritt. Auch Wasser und Seife helfen nicht. Es ist die Hölle und lässt erst Stunden später nach.

„Horrrrch amal, du siehst a weng müd aus", begrüßt mich der Wirt zum Frühstück. „Ich habe die halbe Nacht nicht geschlafen. Kennst du Pferdesalbe?" Er schüttelt den Kopf und lacht. Ich weiß bis heute nicht, ob er mich verstanden hat.

Wir brechen um zehn Uhr auf. Müde bin ich zwar und mein Gang ist etwas breitbeinig, doch das Brennen lässt langsam nach. „Du siehst aus wie ein Mann, der auf einem Fass laufen lernte", sagt Patrick. Ich beiße die Zähne zusammen und zeige ihm den Mittelfinger. Wir lachen laut los.

Dann machen wir uns wieder auf den Weg, um fränkische Kultur zu entdecken. Und genau das haben wir die nächsten beiden Tage reichlich getan. Wir kosteten Wildschweinschinken, aßen Schnitzel im Bierteig und einige Brotzeitplatten. Dabei stellten wir fest: Die deftige Küche der Region ist wie geschaffen für hungrige Wanderer. Dazu die fränkischen Biere. Ich sage dir: Besser geht's nicht!

Wieder zuhause merke ich: Die Tour hat gutgetan. Ich bin bereit für neue Abenteuer.

Kapitel 12

Glaubenssache

September 2010

Nach einer dreimonatigen Dating-Pause bin ich wieder im System eingeloggt. Vor gut einer Woche hatte ich den ersten Kontakt. Sie heißt Franziska, hat keine Kinder, ist 36 und hat einen Doktortitel. Was sie schreibt, klingt vielversprechend. Auf den Fotos sieht sie hübsch und sympathisch aus. Sie hat lange schwarze Haare, dunkle Augen und ist auffallend blass. Das könnte mit ihrem Beruf zusammenhängen: Sie ist Hautärztin. Wieder einmal ertappe ich mich bei dem Gedanken, dass eine solche Beziehung praktisch wäre. Ich sage nur: Vorsorgeuntersuchung.

Wir schreiben uns ein paar Mal und Franziska schlägt ein Treffen vor, morgen um 14 Uhr in Ludwigshafen. Ich sage zu und wir tauschen die Handynummern aus. Eine Minute später klingelt mein Telefon.

„Hallo, hier ist die Franziska aus dem Internet", sagt sie. Ihre Stimme zittert leicht, sie wirkt schüchtern. „Das ging aber schnell", sage ich und bin überrascht. Sie beschreibt den Weg zu unserem Treffpunkt und gibt Tipps, wo ich am besten parke. „Was machst du heute noch?", frage ich. „Ich werde ausnahmsweise fernsehen. Das mache ich nur einmal im Monat. Heute ist es wieder soweit."

„Dann wünsche ich Dir einen schönen Abend und freue mich auf morgen." Ich lege auf.

Was war das denn? Irgendwie merkwürdig. „Das mache ich nur einmal im Monat. Heute ist es wieder soweit."… Sollte ich mich wirklich mit ihr treffen? Während ich darüber nachdenke, klingelt wieder mein Handy. „Hier ist noch einmal Franziska. Sollen wir uns vielleicht schon heute Abend treffen?"

Die hat es aber eilig.

„Nein, nein, heute Abend habe ich keine Zeit, ich muss noch allerhand erledigen. Wir sehen uns morgen. Ich freu mich." Wir verabschieden uns. Na, das geht ja gut los. Ich habe nichts vor und könnte mich heute Abend mit ihr treffen. Doch was mache ich stattdessen? Ich schwindle sie an, weil ich spüre, dass mit ihr etwas nicht stimmt. Und ob du es glaubst oder nicht: Ich hatte Recht.

Bis nach Ludwigshafen brauche ich mit dem Auto gut eine halbe Stunde. Da ich mich dort aber nicht auskenne, bin ich etwas früher losgefahren. Um halb zwei biege ich in die Einfahrt der Tiefgarage des Rathauscenters. Es regnet in Strömen. Wie hat Franziska gesagt: „Vor dem Einkaufszentrum gibt es ein nettes Café. Es hat einen großen Wintergarten und ist nicht zu übersehen." Ich finde das Lokal auf Anhieb und gehe hinein. Von außen sieht es wie ein deutsches Café aus, doch drinnen sind ausschließlich Türken. Ungefähr 50 Männer palavern, trinken Tee und rauchen. Es ist ein derartiger Qualm in der Bude, dass ich kaum die Hand vor Augen sehe.

Ich schaue mich um. Die Einrichtung erinnert mich an meine Kindheit. Solche Stühle und Tische waren früher modern. Die Tapete mit Kreisen in Gelb, Orange und Braun kommt mir vertraut vor. Hinten im Eck zwei Stehlampen wie bei Oma. An der Wand hängen kitschige Foto-Motive aus der Türkei in billigen, völlig verzogenen Bilderrahmen aus Plastik. Von Franziska keine Spur. Nur wenige Tische sind noch frei. Ich setze mich mit Blick zur Tür, bestelle Tee und warte. Ich beobachte die Szenerie und frage mich: Bin ich überhaupt noch in Ludwigshafen? Oder gab es vorhin beim Betreten des Lokals einen Riss im Raum-Zeit-Kontinuum und ich befinde mich in Istanbul im Jahr 1973?

Pünktlich um zwei kommt eine Frau durch die Tür, die zwar eine gewisse Ähnlichkeit mit Franziska hat, aber deutlich älter aussieht als auf ihrem Foto. Blass wie der Tod kommt sie auf mich zu, streckt mir die Hand entgegen und sagt: „Du musst Dirk sein. Hallo, ich bin Franziska." Noch bevor ich „Hallo Franziska" sage, will ich fliehen. Bei ihrer Altersangabe muss es glatt einen Zahlendreher gegeben haben.

Das ist mir während der Partnersuche immer wieder passiert. Viele mogeln mit ihren Fotos. Das rächt sich jedoch spätestens beim ersten Date. Es sei denn, der Mann oder die Frau ist blind. Ich rate dir deshalb, verwende ein aktuelles Foto und mach beim Gewicht keine falschen Angaben. Es wird auffallen. Definitiv!

Eine andere Sache bei den Fotos ist: Der Betrachter sieht eine Momentaufnahme und fantasiert sein Ideal dazu. Deshalb gibt es beim ersten Treffen meist eine kleine Enttäuschung, da die Fantasie nur in den seltensten Fällen mit der Realität übereinstimmt. Stimme, Geruch, Bewegung, Mimik, Gestik, Benehmen und vieles mehr spielen eine entscheidende Rolle, fehlen aber bei einem Foto.

Zurück zu Franziska: Nachdem ich mich vom ersten Schreck erholt habe, folgt die zweite Überraschung. Sie will das Lokal wechseln. „Mir gefällt es hier überhaupt nicht!", sagt sie in einem Ton, als ob das hier meine Lieblingskneipe wäre und ich den Treffpunkt vorgeschlagen hätte. Spätestens jetzt hätte ich fliehen müssen. Doch was mache ich stattdessen: Ich bin höflich und gehe mit ihr in ein anderes Café.

Nachdem der Kellner uns dort die Getränke gebracht hat, fragt Franziska: „Sag mal, glaubst du an Gott?" Dabei schaut sie mich an, als ob sie mir jeden Moment die Beichte abnehmen will. „Warum?", frage ich. „Weil ich ein sehr gläubiger Mensch bin und sehr aktiv in meiner Kirche." Sie erzählt mir Dinge, die auf eine Art Sekte schließen lassen. Jedes Wochenende verbringt sie mit ihrer religiösen Gemeinschaft. Sie beten und meditieren.

Du musst wissen: Ich bin nicht religiös und ich mag keinen Fanatismus. Ich halte aber sehr viel von der christlichen Religion, von der Lehre Jesu, und bin dankbar für die christlichen Werte. Ich habe meine Kinder danach erzogen und versuche, so gut es geht nach dem Motto „liebe deinen Nächsten wie dich selbst" zu leben. Regelmäßig in die Kirche gehe ich aber nicht. Ich glaube nicht an ein höheres Wesen, weder an einen Gott noch an einen Teufel. Für mich steht Gott für das Gute im Menschen. Ich könnte den Rest des Buches die Gründe erläutern. Doch kommen wir lieber wieder zurück ins Jahr 2010, nach Ludwigshafen.

„Ich glaube nicht an Gott und kann damit nichts anfangen", sage ich.

„Dann bist du bereits von Satan besessen."

Wie bitte, ich habe mich wohl verhört.

„Satan hat von dir Besitz ergriffen und du merkst es nicht einmal. Lass mich dir helfen", sagt Franziska und bekreuzigt sich dabei mehrmals. Dazu murmelt sie eine Art Gebet.

Hilfe! Ich werde gegen meinen Willen exorziert.

„Lass es gut sein, ich bin nicht besessen. Ich glaube weder an Gott noch an Satan. Ich respektiere deinen Glauben, respektiere du meinen auch", sage ich. Damit ist das Gespräch allerdings beendet. Von diesem Moment an redet Franziska kein einziges Wort mehr mit mir und spricht weiter ihre Gebete. Dabei schaut sie durch mich hindurch. Sie ist in eine Art Trance-Zustand gefallen und bekreuzigt sich immer wieder mehrmals hintereinander. Ich bin echt sprachlos, was selten vorkommt. Ich stehe auf, zahle meinen Kaffee und gehe.

In den Monaten danach bin ich weiteren seltsamen Frauen begegnet. So brachte Judith, eine Lehrerin aus Germersheim, beim ersten Date ihr Baby mit und legte mir das Neugeborene nach ein paar Minuten in die Arme. Quasi Tauglichkeitstest als Vater.

Nach dem Essen, wir kannten uns kaum eine gute Stunde, machte sie mir eine Szene, weil ich so lange auf der Toilette war und sie mit ihrem Kind alleine habe sitzen lassen. Ich hatte irgendetwas an dem Essen nicht vertragen und brauchte länger, was ich ihr aber ausführlich versucht hatte, zu erklären. Sie bemerkte auch nicht, dass ich kreidebleich war. Dazu war sie zu sehr in Fahrt und keifte vor sich hin. Furie hoch drei, sage ich dir. Wie ja bekannt ist, kann die Hormonumstellung nach der Schwangerschaft starke

Stimmungsschwankungen auslösen. So wird es auch bei Judith gewesen sein. Das hoffe ich jedenfalls.

Bei einem anderen Date ging es Susanne aus Neustadt nicht schnell genug. Sie schrieb mir nach dem ersten Treffen, dass sie enttäuscht gewesen sei, weil ich sie am Ende nicht geküsst hatte. Geht's noch?

Eine besondere Erfahrung machte ich mit Simone aus Mannheim. Sie war bildhübsch und verheiratet mit einem hohen Tier aus der BASF. Sie hatten einen gemeinsamen Sohn. Ihr Mann fühlte sich jedoch zu Männern hingezogen. Seine Homosexualität verbarg er durch eine Scheinehe mit Simone. Er versüßte ihr das Leben mit Luxus und erlaubte ihr sogar einen Liebhaber. „Mein Mann zahlt uns ganz tolle Urlaube, damit wir mehrmals im Jahr ganz für uns sein können", sagte sie und lächelte mich verführerisch an. Ich wäre wirklich beinahe schwach geworden. Nicht nur wegen des Taschengeldes, das mir ihr Mann außerdem zustecken wollte, damit ich seiner Frau auch den nötigen Luxus hätte bieten können. Aber eine solche Beziehung wollte ich nicht. Simones Nachnamen habe ich übrigens nie erfahren.

Und dann war da noch Anja, eine sehr engagierte Tierschützerin aus Grünstadt, die regelmäßig in Bauernhöfe einbrach, um Missstände in Sachen Tierhaltung zu dokumentieren. Sie war jedes Wochenende für den Tierschutz unterwegs und wollte mich dafür begeistern. Ich müsse unbedingt einmal mit eigenen Augen sehen, wie die Tiere gequält werden, sagte sie und wollte mich auf ihre nächtlichen Streifzüge mitnehmen. Du musst wissen, auch mir liegt das Wohl der Tiere am Herzen. Wer weiß, wenn es mit Anja gepasst hätte, würde ich heute anstatt ein Buch zu schreiben wahrscheinlich jede Nacht mit ihr in Bauernhöfe einbrechen und für Recht und Ordnung sorgen. Oder säße bereits seit ein paar Jahren im Knast.

Kapitel 13

Fällt aus.

Ich bin zwar nicht abergläubisch, aber sicher ist sicher.

Kapitel 14

Leben in der Vase

Januar 2011

Das Erste, das ich mir nach der Trennung beibrachte, war das Kochen. Davor hatte ich selten etwas zubereitet. Einfache Sachen wie Toast Hawaii, Spaghetti oder Strammer Max bekam ich hin, richtig kochen konnte ich aber nicht.

Meine Mutter war eine hervorragende Köchin. Meine Omas ebenfalls. Auch meine Exfrau. Und ich esse gerne. Die beste Voraussetzung also, das Handwerk zu lernen. Schließlich weiß ich, wie es am Ende schmecken soll. Beinahe jede Kochsendung schaute ich mir damals an, las Bücher und Zeitschriften zum Thema. Ein Tipp hier, ein Hinweis dort. Und am Ende konnte ich tatsächlich kochen.

Einfach war es aber nicht: Wenn ich an meinen ersten Rosenkohl denke, muss ich lachen. Zum Putzen brauchte ich eine Ewigkeit. Dann schnitt ich die grünen Bällchen kreuzweise unten ein, so wie es meine Mutter immer gemacht hat, damit sie nicht bitter werden (ob das wirklich was bringt, weiß ich bis heute nicht). Danach kamen sie ins kochende Salzwasser. Mit der Gabel prüfte ich regelmäßig ihre Festigkeit. Eben waren sie noch steinhart, ein paar Minuten später lösten sie sich auf wie Brausetabletten. Der Rosenkohl war verschwunden. Die einzelnen Blätter tanzten im sprudelnd-kochenden Wasser. Ich stand fassungslos daneben.

Meine Töchter amüsieren sich heute noch über meine ersten Kochversuche. Wir gingen damals oft auswärts essen, mehr muss ich dazu nicht sagen. Entscheidend war aber: Ich habe nie aufgegeben. Der nächste Rosenkohl wurde besser und irgendwann kochte ich ihn auf den Punkt. So ging es mir mit vielen Gerichten. Inzwischen beherrsche ich sogar die meiner Omas. Und übers Vanilleeis gibt's auch bei mir jede Menge Eierlikör.

Zurück in den Januar 2011, Freitagnachmittag: Ich freue mich, denn gleich kommen die Mädchen. Mit „Hallo Papa, was machen wir am Wochenende?", begrüßen sie mich. Wir drücken uns und ich bilde mir ein, die beiden sind schon wieder ein Stück gewachsen. „Für morgen Abend besorgen wir uns einen Film und machen einen Kinoabend. Was haltet ihr davon?"

„Au jaaaa!", rufen sie. „Machen wir auch Popcorn?", fragt die Große. „Ja klar".

„Und was für einen Film schauen wir?", fragt die Kleine. „Irgendwas Lustiges", sage ich. Die Begeisterung ist groß.

Nach der Scheidung richtete ich mir in meiner neuen Wohnung ein Heimkino mit Beamer, Leinwand und Surround-Anlage ein. Wir Männer stehen auf so was. Lautsprecher können uns nicht groß genug sein und wir stellen sie so auf, dass sie auch gesehen werden. Wir wollen eben zeigen, wie viel Watt wir zu bieten haben. Frauen ticken da vollkommen anders. Stell dir vor: Ich musste sogar einmal meine Standlautsprecher gegen winzige Boxen eintauschen, die erstens keiner sah und zweitens kaum zu hören waren, also keine Bässe und so.

Seit ich wieder alleine wohne, ist die Welt zumindest in Sachen Hifi wieder in Ordnung. Fünf große Lautsprecher schmücken mein Wohnzimmer. Dazu die Leinwand. Gut, zugegeben, die vielen provisorisch verlegten Kabel stören ein wenig die Optik, doch mit der Zeit gewöhnt man sich daran. Außerdem wohne ich zur Miete und hier nur vorübergehend, da mir die Wohnung zu klein ist und ich bald umziehen will. Da richtest du dich ja nicht komplett ein bis zum Tod und verlegst die Kabel in der Wand.

Es ist Samstagvormittag, wir fahren in die Stadt, um eine DVD zu besorgen. Danach noch einen Abstecher in die Spielwarenabteilung des Kaufhauses. Und da entdecke ich sie: Urzeit-Krebse. Konnte das wahr sein? Seit meiner Kindheit hatte ich sie nicht mehr gesehen. Mit den Worten „Kinder, ich muss euch was zeigen" ziehe ich die Schachtel mit der Aufschrift „Urzeit-Krebse selber züchten" aus dem Regal. Ich bin begeistert und emotional zurück im Jahr 1978.

Damals waren sie im YPS-Heft und ich zog sie fasziniert groß. Es war ein Phänomen: Wie konnte aus einem Pulver, nachdem ich es ins Wasser rührte, Leben entstehen? Gut, es dauerte ein paar Tage und ich wartete sehnsüchtig darauf, dass sich etwas bewegte, aber dann endlich schlüpften sie und es wimmelte nur so in der Vase, die ich von meiner Mutter zur Aufzucht der Krebse bekommen hatte. Voller Begeisterung rannte ich zu meinen Eltern. Doch ihre Reaktion enttäuschte mich sehr: Nicht im Ansatz teilten sie meine Freude und schenkten dem großen Naturwunder keinerlei Beachtung. Ich war enttäuscht und ging mit hängendem Kopf und einer Vase voller Krebse zurück in mein Zimmer. Konnte das wahr sein? Ich hatte es geschafft, tote Materie zum Leben zu erwecken, quasi Frankenstein, und meinen Eltern war das scheinbar vollkommen egal. Was musste ich noch alles tun, um in ihren Augen ein echter Naturforscher zu sein?

Wenn ich heute darüber nachdenke, ist ihre Reaktion allerdings verständlich, denn es war Sonntag und sechs Uhr in der Früh.

„Was hast du da, Papa?" fragen meine Töchter und ich erkläre, dass wir nun Forscher werden und Urzeitkrebse züchten. Sie schauen mich mit großen Augen an. Ich zeige ihnen die Verpackung. „Mitbring-Experimente" steht oben in der Ecke, darunter ist ein Dinosaurier abgebildet, der an Godzilla erinnert, unter ihm zwei Urzeit-Krebse in gleicher Größe. Meine Töchter sind begeistert. Sie würden am liebsten sofort loslegen.

Zuhause erkläre ich ihnen ganz genau, was es mit den Urzeit-Krebsen auf sich hat, und dass sie sehr klein sind und bei weitem nicht so groß werden wie die Abbildung auf der Verpackung verspricht. „Die Dinger sind winzig und anfangs nur mit der Lupe zu sehen. Wenn wir sie aber ordentlich füttern, werden sie so groß wie Maikäfer", sage ich. Beide sind Feuer und Flamme. Wir studieren die Gebrauchsanweisung und legen los. Zuerst füllen wir eine große Vase mit Wasser, geben das Nährstoffpulver dazu und … sind fertig.

Nun soll das Ganze drei Tage lang stehen, erst dann darf das Pulver mit den Krebseiern hinein. „Ich kümmere mich darum und wenn ihr das nächste Mal da seid, wird es in der Vase nur so wimmeln", verspreche ich und versuche danach noch witzig zu sein mit der Bemerkung, dass wir uns in ein paar Wochen die Krebse auf die Pizza legen können. Ihre Reaktion? Frage nicht!

Drei Tage später gebe ich die Krebseier vorsichtig ins Wasser. Jetzt heißt es: wieder warten. Doch schon Ende der Woche sollen die kleinen Kerlchen schlüpfen. Doch auch nach drei Tagen tut sich in meiner Vase nichts. Absolut nichts. Totes Meer. Auch am vierten Tag ist kein einziger Krebs geschlüpft. Ich lese die Gebrauchsanleitung noch einmal genau durch. Dann wird mir alles klar: Das Wasser muss zwischen 22 und 29 Grad warm sein. Das hatte ich übersehen. Nun heißt es aufheizen, damit ich die kleinen Krebslein endlich zum Leben erwecke.

Ein paar Minuten später …

… du glaubst nicht wie schnell …

ich sage nur: Rosenkohl.

Also wieder alles auf Anfang: Frisches Wasser, Nährstoffpulver, drei Tage warten. Dann die Eier rein. Dieses Mal stelle ich die Vase aber über die Heizung. Mit Erfolg: Sie schlüpfen. Es ist zwar kein großes Gewimmel, aber immerhin: Leben in der Vase. Mit der Lupe erkenne ich zwei winzige, zuckende Punkte.

„Wo sind die Krebse? Die Krebse, die Krebse, die Krebse", stürmen die Mädchen am Wochenende in meine Wohnung. Kurz darauf sitzen sie vor der Vase und sind enttäuscht. „Ich sehe nichts", sagt die Große. „Ich auch nicht, Papa."

„Ihr müsst schon genau schauen. Sie sind noch winzig und es sind bislang auch nur zwei", sage ich und gebe ihnen die Lupe. „Da ist aber nur einer", sagen sie nach einer Weile.

Und tatsächlich: In der Vase schwimmt nur noch ein einziger Krebs. Von seiner Partnerin keine Spur. „Die ist weg, hat ihn vermutlich verlassen", sage ich. „Der Arme, wir müssen ihm einen Namen geben", sagt die Große. „Wir nennen ihn Werner, weil er so spät geschlüpft ist", sage ich. Wir lachen und geben ihm sein Kraftfutter. Hoffentlich hält er durch.

Ich verbrachte noch einige Abende mit Werner. Einsam und allein schwamm er in seiner Vase. Dann war er tot. Die Ursache konnte ich nie klären. Zu warm, zu kalt, zu einsam? Ich weiß es nicht. Er war jedenfalls nicht mehr da. Und ich stellte fest: Mit Haustieren hatte ich offenbar kein Glück.

Die Beisetzung gestaltete sich deutlich einfacher und weniger tränenreich als bei Eddi. Wir schütteten die Vase feierlich in den Gully neben unserem Haus. Ich erklärte meinen Töchtern bei dieser Gelegenheit gleich noch die Kanalisation. „Wer weiß, vielleicht gelangt Werner auf diesem Weg sogar in einen Fluss und dann ins Meer zu seiner Familie", sagte ich. Wir blieben kurz stehen und ich versprach ihnen, dass wir bald noch einmal versuchen würden, Krebse zu züchten, was wir allerdings nie wieder getan haben.

In den nächsten Wochen musste ich noch ein paar Mal an Werner denken und an sein einsames Leben und seinen einsamen Tod. Fazit: Es wurde allerhöchste Zeit, eine Frau zu finden.

Kapitel 15

Zwischenbilanz

April 2011

1.556 Kilometer, 57 Kaffees, 52 alkoholfreie Biere, 8 Mineralwasser, 5 Colas und 3 Rotwein. Dazu 12 Pizzas, 8 Salate, 5 Flammkuchen, 3 Spaghetti Carbonara, 2 Steaks, 3 Akropolis-Teller, 4 Portionen Eis.

Gewichtszunahme: 6 Kilo.

Seit beinahe zwei Jahren bin ich Mitglied im Partnerportal. Bislang ohne Erfolg. 18 Frauen traf ich. Einige davon mehrmals. Doch welche von ihnen hätte mein Herzblatt werden können?

- Ramona, die launische Lehrerin, deren plötzlicher Stimmungswechsel den Raum verfinstert

- Stephanie, die grandiose Gestaltwandlerin, die dir geduldig zuhört, obwohl du dich ständig wiederholst

- Brigitte, die kesse Krankenschwester, die dich mit ihren Grübchen völlig verzaubert

- Jutta, die süße Sirene aus Heidelberg, die dir genug Testosteron attestiert und sofort ein Kind von dir will

- Magdalena, die rassige Rumänin, die sich unter ihrem Kinnnstlerrrrrnaaamen verabredet

- Simone, die das Kinderzimmer bereits komplett eingerichtet hat

- Heike, die humpelnde Hausfrau, deren eifersüchtigen Freund du hoffentlich nie kennenlernst

- Melanie, die sexbesessene Swingerin, für die Griechisch keine Fremdsprache ist

- Nicole, die niemals geküsst werden will

- Silke, die schreiende Schimpfwortfetischistin, bei der du dir Brandblasen an den Zehen holst

- Steffi, die von dir überfallen werden will

- Katja, die nur mit Kreisen, Drücken und Geduld ihren Höhepunkt erreicht

- Kerstin, die Hundeliebhaberin, die tierische Zuschauer mag

- Franziska, die dich gegen deinen Willen exorziert

- Judith, die keifende Kratzbürste, der du zu lange auf der Toilette bleibst

- Susanne, der du nicht schnell genug küsst

- Simone mit der schönen Scheinehe, deren homosexueller Mann einen Lover für sie sucht

- oder Anja, die tapfere Tierschützerin, die nachts in Bauerhöfe einbricht

Jetzt ehrlich: Für wen hättest du dich entschieden?

Am Morgen nach den jeweiligen Treffen wachte ich oft mit einem emotionalen Kater auf. Mir gingen die Begegnungen noch einmal durch den Kopf, meistens mit einem negativen Gefühl. Ich stellte mir jedes Mal die Frage: Hätte ich etwas anders machen sollen? Die Antwort lautet: Nein! Ich bin wie ich bin. Fertig. Auf in die nächste Runde.

Abwechslungsreich und spannend war es bislang in jedem Fall. Was habe ich gelernt? Traue den Fotos nicht und versuche, dich so bald wie möglich zu treffen. Längere Mailwechsel vorab bringen wenig. Genau wie bei den Fotos interpretierst du auch hier deine bisherigen Erfahrungen hinein. Du liest viel zu viel zwischen den Zeilen. Deshalb mein Tipp: vorab telefonieren, heute am besten per Videochat.

Eins steht fest: Die hochgelobte wissenschaftliche Methode hat bei mir nicht funktioniert. Die Liebe lässt sich eben doch nicht in Formeln packen. Im Gegenteil: So seltsame Frauen hatte ich nie zuvor getroffen. Es wird also Zeit, etwas zu verändern: Ich werde mein Glück nun bei einem anderen Partnerportal versuchen.

Kapitel 16

Ein neuer Anfang

Juni 2011

Nach einem halben Jahr Dating-Pause lege ich wieder los. Ich habe inzwischen den Anbieter gewechselt. Der nutzt zwar keine wissenschaftliche Methode, ist aber TÜV geprüft und verspricht Qualität ohne Kompromisse. Genau mein Ding also.

Der Anmeldeprozess läuft ähnlich ab wie auf dem anderen Partnerportal. Auch hier jede Menge Fragen. Danach zeigen sie mir paarweise Bilder und ich muss mich jeweils für eins entscheiden. Anschließend geht es um Jahreszeiten, Vorlieben, Lieblingsspeisen und wie ich am liebsten wohnen würde.

Außerdem: zu welcher Religion ich mich zugehörig fühle und ob ich mit meinem äußeren Erscheinungsbild zufrieden bin. Ob ich mich modisch kleide, bei offenem Fenster schlafe und wer beim ersten Date zahlt, wollen sie außerdem wissen. Sie fragen, welche

Werte mir in einer Beziehung wichtig sind. 32 stehen zur Auswahl, ich kreuze 30 davon an. Es soll schließlich passen. Am Ende vervollständige ich mein Profil und lade meine Fotos hoch. Nach gut zwei Stunden stehe ich den Damen zur Wahl. Mein neues Profil sieht so aus:

Dirk (Wohnort 67***) + Fotos

Alter	42
Beruf	Redakteur
Bildungsniveau	Diplom-Ingenieur
Körpergröße	180
Ethnie	europäisch
Religion	nicht religiös
Kinder	2, nicht im Haushalt lebend

So verbringt Dirk seine Freizeit:
Ich höre Musik, lese, schaue Filme, gehe hin und wieder wandern und mache einfach das, wozu ich gerade Lust und Laune habe. Und: Ich zaubere leidenschaftlich gerne.

Dinge, die Dirk besonders wichtig sind:

ein schönes Zuhause

genügend Freizeit

genussvolle Stunden

Dinge, die Dirk besonders gut kann:

Täglich neue Dinge lernen und meinen Horizont erweitern

Ein guter Gastgeber für meine Freunde sein

Mich an einfachen Dingen erfreuen

Andere Menschen unterhalten

Mich neuen Herausforderungen stellen

In einer Beziehung sucht Dirk:

Liebe, Freundschaft, Treue, Ehrlichkeit, Verlässlichkeit, Vertrauen und eine glückliche Zukunft

Hier fühlt sich Dirk wohl:

Abends in einem frisch gemachten Bett, am Meer, in einem Haus in den Dünen

Wenn Dirk einen Wunsch frei hätte, würde er sich wünschen:

Dass ich wirklich zaubern könnte …

Was Dirk nicht mag:

Alles, was mir die gute Laune verdirbt

Dinge, von denen sich Dirk niemals trennen könnte:

Fotos und Erinnerungsstücke aus meiner Kindheit, Fotos und Filme meiner Kinder, einige Zauberrequisiten und Bücher

Für das ist Dirk in seinem Leben am dankbarsten:

meine Kinder

unsere Gesundheit

Freiheit

Freunde würden Dirk so beschreiben:

guter Zuhörer

kreativ

verlässlich

lustig

Soweit mein Profil. Daraus sollte klar hervorgehen: kein Partnertausch, keine Rollenspiele, keine Religion. Stattdessen: Genuss, Gemütlichkeit und lustige Gesellschaft.

In meinen Sucheinstellungen gebe ich an, dass meine Zukünftige bis zu fünf Jahre jünger und bis zu fünf Jahre älter sein darf als ich. Außerdem sollte sie nicht weiter als 100 Kilometer von mir entfernt wohnen.

Ich lasse mir die Ergebnisse anzeigen und bin erstaunt: Das sieht beinahe genauso aus wie beim alten Anbieter. Auch hier haben die Frauen Punkte. Das Prinzip ist einfach: Je höher die Punktzahl, desto besser soll die Frau zu mir passen. 100 Punkte bedeutet Volltreffer, wird jedoch bei keiner der vorgeschlagenen Frauen erreicht. Einige sind nah dran. Wenn ich mit jemandem in Kontakt treten möchte, gibt es zwei Möglichkeiten: entweder direkt anschreiben oder, genau wie bei dem anderen Anbieter, erst einmal ein virtuelles Lächeln senden. Wenn danach nicht zurückgelächelt wird, weißt du Bescheid.

Beim Betrachten der Partnervorschläge gefällt mir ein Profil besonders gut: Tanja aus Mannheim, 93 Punkte. Sie ist 37 Jahre alt, hat ein Bachelor-Studium, 1,72 Meter groß, gläubig, aber nicht religiös, und hat keine Kinder. Was sie über sich schreibt, klingt toll. Sie hat zwei Fotos hochgeladen, auf beiden ist sie hübsch.

Allerdings könnten es Fotos von zwei verschiedenen Frauen sein. Auf dem einen hat sie eine Brille auf, lacht sehr natürlich und trägt ihre langen blonden Haare offen. Sie macht einen sehr netten und sympathischen Eindruck. Dann das andere Foto: keine Brille, die Haare zum Pferdeschwanz zusammengebunden, kein Lächeln, sehr strenger Gesichtsausdruck. Irgendwie ein ganz anderer Typ. Nicht unbedingt meiner. Ich nenne sie ab sofort die Frau mit den zwei Gesichtern und schicke ihr ein virtuelles Lächeln. Sie lächelt zurück.

Ich bin begeistert und schreibe ihr am **5. Juni** eine Nachricht:

Hallo Tanja,

danke für Dein Lächeln. Ich würde gerne mehr über Dich erfahren. Hast Du Lust auf ein Kennenlernen? Viele Grüße

Dirk

Danach: Funkstille. Kein Bild, kein Ton, nichts. Auch nach einer Woche nicht. Das war es dann wohl mit Tanja. Vielleicht brauche ich hier eine völlig neue Strategie. Und eventuell eine Typveränderung.

Kapitel 17

Typveränderung

Juni 2011

Es ist kurz vor Mitternacht, ich liege im Bett und denke an die Frau mit den zwei Gesichtern. Tanjas Profil und ihre Fotos gehen mir nicht mehr aus dem Kopf. Es passt einfach zu gut, und hübsch sieht sie außerdem aus. Ist sie die Frau, auf die ich nun schon so lange warte? Ich muss sie unbedingt kennenlernen. Aber warum meldet sie sich nicht mehr?

Auch mit den anderen Frauen, die ich bei dem neuen Anbieter zuerst angelächelt und danach angeschrieben hatte, kam es bislang zu keinem einzigen Date. Liegt es am neuen System oder liegt es an mir? Wie hatte Jutta aus Heidelberg damals geschrieben: Sie stehe auf Männer mit dornigen Gesichtszügen und Hakennase, keine so weichen Typen wie mich. Mir wird plötzlich klar: Auf den ersten Blick bin ich offenbar ein Softie.

Ich denke weiter nach. Bin ich vielleicht auch zu nett? Möglicherweise antwortet Tanja nicht, weil ich zu freundlich bin. Ich muss also strenger aussehen und härter auftreten, dann würde sie sich nicht mehr trauen, sich so rar zu machen. Was kann ich also tun? Gut, eine Hakennase bekomme ich auf die Schnelle nicht hin, aber wie sieht es mit härteren Gesichtszügen aus? Ich überlege: Mit einem Bart ist Schluss mit weich. Damit zeige ich die pure, harte Männlichkeit. Mein Plan: Ich lasse mir einen Bart wachsen. Tätowieren lasse ich mich aber nicht! Auch keinen Schmuck, wo auch immer.

Am nächsten Morgen steht mein Entschluss fest: Ich werde mich ab jetzt nicht mehr rasieren, nie wieder der Knecht meines eigenen Bartwuchses sein, nie wieder der Rasierklingenmafia die Säckel füllen. Von dem gesparten Geld kann ich später eine schöne Reise machen. Ich wollte schon immer einmal auf die Lofoten oder nach Grönland. Hauptsache nicht zu warm, Ruhe und Natur. Und wenig Menschen. Am besten gar keine.

Mit einem Bart spare ich außerdem Zeit. Ich rechne nach: Täglich rasiere ich mich fünf Minuten. Das sind 30 Stunden im Jahr. Das sind bis zu meinem

Tod 48 Tage und Nächte, also eineinhalb Monate, angenommen ich werde 80, sonst noch mehr.

Vier Tage später stehe ich im Bad vor dem Spiegel. Unrasiert. Ich nähere mich optisch George Clooney. Wenn Tanja mich jetzt sehen könnte, würde sie sich sofort melden. Garantiert!

Drei weitere Tage später mache ich eine neue Erfahrung: Der Bart juckt. Frage nicht! Ich bin kurz davor, mich zu rasieren, denke aber an die Reise auf die Lofoten und bleibe stark. Ich recherchiere im Internet, was ich dagegen unternehmen kann. Dabei stoße ich auf eine interessante Erkenntnis: Wusstest du, dass in so einem Bart mehr Bakterien wohnen als auf der Klobrille des Münchner Hauptbahnhofs? Das hat tatsächlich jemand untersucht. Für mich steht nun fest: Ich werde mir ab sofort drei Mal täglich den Bart waschen. Mindestens.

Zwei Wochen später: Ich sehe aus wie der letzte Schrat. Meine eigene Oma würde mir nicht die Tür öffnen. Du glaubst nicht, wie so ein Wildwuchs dich verändert. Neue Erkenntnis: Ein Bart muss in Form gebracht werden. Dazu brauche ich dringend einen Barttrimmer. Außerdem Bartöl, das soll gegen das Jucken helfen.

Meine Töchter lassen einen Schrei los, als sie mich das erste Mal so sehen. „Papa, wie siehst du denn aus?", fragt die Kleine. „Wie Räuber Hotzenplotz", stellt die Große fest. Ich fasse es nicht: Aus Clooney wurde Hotzenplotz. Als ich die Kinder später ins Bett bringe und ihnen einen Gutenachtkuss gebe, der nächste Aufschrei: „Papa, du stachelst wie ein Igel." Ich verspreche ihnen: „Morgen fahren wir in die Stadt und besorgen Öl und andere Sachen, die den Bart weich machen."

„Wo gibt es das?"

„Ich hoffe, im Drogeriemarkt."

„Au ja, dann können wir danach noch zum Spielzeugladen und neue Urzeitkrebse kaufen."

„Soll ich die vielleicht im Bart züchten?"

„Paaapaaaa!"

Wusstest du eigentlich, wie viele verschiedene Bartöle es im Drogeriemarkt gibt? Ich bin völlig überfordert und bitte eine Verkäuferin um Rat. Die empfiehlt mir eins mit Zedernholzöl. „Sie werden sehen, zusammen mit einem Bartshampoo mit Limettenextrakten werden ihre Barthaare flauschig weich. Das wirkt wahre Wunder. Und ihr, Kinder, werdet eurem

Papa den ganzen Tag den Bart kraulen wollen", sagt sie und lacht. „Papa, das musst du kaufen", drängen sie. Ich nehme beides, das Shampoo mit Limettenextrakt und das Zedernholzöl. Von meiner Oma weiß ich nämlich, dass Zedernholz auch gut gegen Motten ist. Doppelter Nutzwert, denke ich mir, und kaufe das Zeug.

Im Elektromarkt die nächste Überraschung: Mir war bis dahin nicht klar, wie viele verschiedene Möglichkeiten es gibt, seinen Bart zu schneiden. Die Auswahl an Trimmern ist enorm. Nebeneinander aufgereiht finde ich alle Preisklassen und Geräte mit den unterschiedlichsten Funktionen. Darunter einen mit Laserstrahl für millimetergenauen Schnitt und akkurate Kanten. Oder einen mit Saugfunktion, der die Barthaare beim Schneiden in einen kleinen Auffangbehälter saugt. Ich entscheide mich für ein relativ einfaches Modell ohne viel Schnickschnack. Noch bin ich Single und darf meine Barthaare ganz nach Belieben überall verteilen. Und so ein Laserstrahl kann schließlich ins Auge gehen.

Nach dem Elektromarkt gehen wir noch zu einem Herrenausstatter. Nächste Woche bin ich nämlich auf eine Hochzeit eingeladen und will modisch eine gute

Figur machen. Mein Nachbar Holger heiratet und wer weiß, vielleicht treffe ich dort die Frau fürs Leben und dann kann sich Tanja melden bei wem sie will, bloß nicht mehr bei mir. Oder doch bei mir und ich sage ihr dann, dass ich in der Zwischenzeit eine andere kennengelernt habe und sie bleiben kann, wo der Pfeffer wächst. Rache ist eben Blutwurst, und wer nicht kommt zur rechten Zeit, um hier einmal ein paar Sprüche meiner Oma zum Einsatz zu bringen.

Ob Du es glaubst oder nicht: Beim Herrenausstatter haben mich meine Töchter zusammen mit dem Verkäufer doch tatsächlich zu einem rosa Hemd überredet. Dazu eine graue Hose und ein schwarzes Sakko. „Das sieht top aus und steht ihnen super", sagt der Verkäufer und schleicht um mich herum. Dabei zupft er das Sakko zurecht und schaut mich über den Spiegel an. „Wenn Sie so auf der Hochzeit auftauchen, werden Sie garantiert dem Bräutigam die Show stehlen."

„Das musst du kaufen, Papa. Du siehst so gut damit aus", stimmen die Mädchen ihm zu. Jetzt frage ich dich: Was hätte ich machen sollen? Ich kaufe also die Klamotten und gehe zufrieden aus dem Laden.

Abends im Bett kommen mir erste Zweifel: Soll ich wirklich ein rosa Hemd anziehen?

Am nächsten Morgen bringe ich den Bart in Form. Ich rasiere mich zuerst nass unter den Augen, also die obere Wangenpartie, danach am Hals. Sieht sauber aus. Jetzt wird getrimmt. Ich entscheide mich für eine Länge von fünf Millimetern. Das Waschbecken sieht danach aus, du glaubst es nicht. Egal, das Ergebnis zählt. Ich sehe wieder aus wie ein Mensch. Jetzt ein Foto und dann ab damit in mein Profil. Nun wird Tanja sich melden. Da bin ich mir ganz sicher.

Drei Tage später: immer noch nichts von ihr gehört. Was macht die Frau bloß? Darüber denke ich nach, während ich beim Duschen das Bartshampoo lange einwirken lasse. Danach massiere ich eine ordentliche Portion Bartöl ein. Heute ist die Hochzeit und ich ziehe zum ersten Mal das rosa Hemd an. Ich fühle mich: Hossa! Wenn das Teil jetzt noch Rüschen hätte und wir in den 70ern wären … Mir kommen wieder Zweifel: Kann ich wirklich so gehen?

Vor der Kirche rieche ich Zedernholz und Limette. Es riecht so intensiv, dass ich es sogar schmecke. Das liegt hoffentlich daran, dass sich die Quelle direkt unter meiner Nase befindet. Und wenn nicht?

Vielleicht riechen es die anderen auch. Dann verträgt sich der Geruch hoffentlich mit dem Eau de Toilette, das ich mir vorhin reichlich aufgetragen habe. Es ist nämlich heiß draußen und ich möchte später nicht muffeln.

Mit dem Spruch meines Nachbarn Klaus: „Mein Lieber, rosa und ordentlich eingedieselt. Hast du die Seiten gewechselt?", ist es amtlich: Ich sehe aus wie Prinz Charming und rieche drei Kilometer gegen den Wind nach Mottenkugeln in Zitrone an Chanel.

Anfangs habe ich das Gefühl, die Leute schauen mich komisch an. Doch das legt sich. Am Ende ist es eine schöne Hochzeit an einem herrlichen lauen Sommerabend. Und ich bin der Einzige, um den die Schnaken einen großen Bogen machen. Doch nicht nur die. Glück gehabt, Tanja!

Als ich zuhause das Hemd ausziehe, fallen mir am Kragen rechts und links zwei riesige Fettflecken auf. Wie zwei dunkle Schatten liegen sie auf dem zarten Rosa. Verdammt, das Bartöl. Die Flecken haben bestimmt alle für Schweiß- und Dreckränder gehalten. Wie peinlich ist das denn. Zwei Wochen später der Beweis: Als ich mit Holger die Hochzeitsfotos anschaue, sind die Flecken an meinem Kragen nicht zu

übersehen. „Ich dachte, du würdest so stark schwitzen. Das fällt aber kaum auf", versucht er mich zu be-
ruhigen.

Dann zeigt er mir ein Foto, auf dem ich mit Klaus
sehr nah zusammenstehe. Wir halten jeder ein Glas
Sekt in der Hand und lächeln uns an. „Hier seht ihr
beiden aus wie zwei frisch Verliebte. Du mit dem
rosa Hemd und Klaus mit der Nelke am Revers. Als
wärt ihr das Hochzeitspaar", sagt Holger und lacht.
Für mich steht nun endgültig fest: Das rosa Hemd ist
Geschichte. Außerdem das Bartöl. Und der Bart. Genau: Der kommt wieder ab.

Ein paar Tage später habe ich mich schließlich rasiert. Nach zwei Monaten. Von wegen Geld sparen
und Reise auf die Lofoten: Bartöl, Bartshampoo und
der Trimmer schlagen ganz schön zu Buche. Auch
die Zeitersparnis ist eine Illusion. Ich rechne nach:
Einmal pro Woche den Bart und die Kanten schneiden. Dauer: 15 Minuten. Alle zwei Tage die oberen
Wangen, die Konturen und den Hals rasieren. Dauer:
vier Minuten. Den Bart täglich zwei Mal waschen
und einmal ölen, macht noch einmal vier Minuten.
Summa summarum umgerechnet acht Minuten pro
Tag für die Bartpflege. Das macht einen zeitlichen

Mehraufwand gegenüber der Nassrasur von 18 Stunden pro Jahr. Bis zum Tod beinahe einen ganzen Monat, angenommen ich werde 80, sonst noch mehr.

Gut, dass er nun ab ist. Gebracht hat es sowieso nichts, denn von Tanja gibt es nach wie vor kein Lebenszeichen.

Kapitel 18

Der erste Kontakt

4. August 2011, 22:16 Uhr

Hallo Dirk,

ein wirklich „zauberhaftes" Profil :-)

Ich merke gerade, dass es ganz schön schwer ist, eine Nachricht an jemanden zu senden, den man nicht kennt! Vielleicht magst du mir ein bisschen was über dich erzählen.
Viele Grüße

Tanja

Ich fasse es nicht. Nach zwei Monaten meldet sie sich endlich. Na, die hat ja Nerven. Jetzt heißt es, bloß nicht sofort reagieren. Deshalb mein Plan: Ich lasse sie zwei Wochen lang zappeln, erst dann antworte ich.

Zwei Tage später: Planänderung.

6. August, 17:11 Uhr

Hallo Tanja,

danke für deine Nachricht. Wieso hat deine Antwort so lange gedauert?

Viele Grüße

Dirk

Um halb zwölf gehe ich ins Bett. Noch immer keine Antwort von Tanja. So war das eben 2011. Da hast du noch nicht ständig in deine Mails geschaut und geantwortet.

7. August, 14:43 Uhr

Hallo Dirk,

direkte Frage, ehrliche Antwort: Ich habe mich ein paar Mal mit jemandem getroffen und fand es in der Zeit nicht richtig, weiter zu schreiben. Und nachdem ich herausgefunden habe, dass er nicht der Richtige für mich ist, hatte ich erst mal keine Lust mehr auf weitere Dates. Daher hat es so lange gedauert :-) Schön, dass du trotzdem noch zurückschreibst!

Viele Grüße

Tanja

Damit ist es amtlich: Ich bin zweite Wahl.

7. August, 22:35 Uhr

Hallo Tanja,

danke für die ehrliche Antwort.

Zuerst noch ein paar Worte über mich, die so nicht in meinem Profil stehen: Ich komme aus dem Saarland (oh je, war's das jetzt schon ...) und wohne seit rund neun Jahren in der Südpfalz in einem kleinen Dorf mitten in den Weinbergen. Ich habe zwei wundervolle Töchter, 11 und 8 Jahre alt. Mit ihnen verbringe ich jedes zweite Wochenende und wir haben richtig viel Spaß miteinander. Mein Hobby (und Leidenschaft) ist die Zauberkunst. Auf meiner Homepage findest du etwas mehr über meine Zauberaktivitäten.

Wenn Du jetzt immer noch Lust hast, Dich mit mir zu treffen, freue ich mich sehr.

Liebe Grüße

Dirk

8. August, 20:13 Uhr

Hallo Dirk,

also alles erst mal zurück auf Anfang: Danke fürs Anlächeln :-)

Dein Profil hat mir auch gefallen und ich habe mir inzwischen auch deine Homepage angeschaut. Ich hätte nicht gedacht, dass du dein Hobby professionell betreibst, finde es aber sehr interessant. Vor allem: Was ist die „Tierdressur mit einem saarländischen Schnarchbären"? :-)

Bevor wir uns treffen, möchte ich gerne einmal mit dir telefonieren. Ich muss doch schließlich hören, wie du als Saarländer klingst und ob du schon etwas Pfälzisch beherrschst :-)

Ich komme aus der Nähe von Landau, bin also waschechte Pfälzerin. Mich hat es berufsbedingt vor ca. zehn Jahren nach Mannheim verschlagen.

Ich freue mich, von dir zu hören bzw. zu lesen. Du kannst dir das mit dem Telefonieren ja überlegen.

Die Pfälzischprüfung wird abgenommen unter (hier stand ihre Telefonnummer).

Viele liebe Grüße

Tanja

Am nächsten Abend rief ich sie an. Es war ein sehr nettes Gespräch, und wir verabredeten uns für nächsten Sonntag. „Lass uns in Schwetzingen in der Nähe vom Schloss treffen. Kennst Du das blaue Loch? Die haben gutes Essen und man kann schön draußen sitzen", schlug Tanja vor. „Prima Idee. Ich war noch nie in Schwetzingen und draußen essen hört sich gut an."

„Dann lass uns um sechs im blauen Loch treffen. Und nicht verwechseln mit der blauen Katze. So heißt nämlich dort ein Swingerclub. Der ist auch in der Nähe vom Schloss, doch da möchte ich ungern hin", sagt Tanja und lacht.

Fünf Tage später parke ich mein Auto in Schwetzingen in der Nähe des Schlosses. Ich frage jemanden nach dem Weg. Mit den Eselsbrücken ist das aber manchmal so eine Sache. Mir scheint jetzt „blaue Katze" doch passender für ein Restaurant als „blaues Loch". Zum Glück schaffe ich es noch pünktlich zum verabredeten Treffpunkt, der Swingerclub und das Restaurant liegen nämlich nicht weit voneinander entfernt …

Mit „Hallo Dirk, wir müssen woanders hin, die haben draußen keinen Platz mehr", begrüßt mich Tanja vor dem Lokal. Dabei strahlt sie und sieht toll aus. Sie ist genau mein Typ und macht einen sympathischen Eindruck. Irgendwie normal, denke ich, nicht so merkwürdig wie die meisten anderen

Frauen, die ich in den letzten zwei Jahren getroffen hatte. Mit ihren langen blonden Haaren und ihrer Brille sieht sie gleichzeitig klug und süß aus.

Wir schlendern am Eingang des Schlosses vorbei in Richtung Innenstadt. „Meine Eselsbrücke hat übrigens super funktioniert. Jetzt weiß ich auch, wo hier der Swingerclub ist."

„Was für eine Eselsbrücke?"

„Als ich vorhin nach dem Weg fragte, war ich mir auf einmal nicht mehr sicher. Und wer würde sein Lokal freiwillig ein Loch nennen?" Wir lachen. „War das dein erster Test? Bin ich jetzt durchgefallen?"

Sie schüttelt den Kopf. „Warte mal ab, was noch kommt."

Vor einer Kneipe finden wir zwei Plätze. Wir sitzen unter einem Sonnenschirm, schauen aufs Schloss und erzählen von unseren Leben. Tanja mir von ihrer Arbeit, ihren Hobbys und ihren Erfahrungen beim Onlinedating. Ich ihr von meinen, also nicht von allen wie du dir sicher denken kannst, und von meinen Töchtern. Die Zauberei ist zwar auch kurz ein Thema, ich erkläre Tanja aber, dass das abendfüllend sei, und ich darüber ein anderes Mal mehr berichten würde.

Stattdessen erzähle ich von meiner Jugend im Internat. „Ich habe keine Geschwister und bin als Einzelkind ganz schön verwöhnt worden. Erst im Internat wurde ich so richtig sozialisiert."

„Wie lange warst du dort?"

„Sechs Jahre und es war eine ganz tolle Zeit."

„So wie bei Hanni und Nanni?"

„Die Bücher habe ich zwar nicht gelesen, aber wenn die eine gute Zeit hatten, dann ja. Es war eher wie bei Harry Potter, nur ohne Zauberer. Das Internat wurde mein Zuhause und ich war sehr traurig, als ich nach dem Abitur ausziehen musste."

„Gab es dort auch Mädchen oder war es ein reines Jungeninternat?"

„Ich hatte doch gesagt, es war eine schöne Zeit dort", sage ich und grinse.

Ich erzähle ihr von den getrennten Jungen- und Mädchenhäusern und wie wir uns nachts heimlich zu den Mädchen schlichen. „Blöd, wie wir waren, wurden wir regelmäßig erwischt und mit Stubenarrest und Arbeitsdiensten bestraft."

Tanja erzählt von ihren zwei jüngeren Brüdern, mit denen sie auf dem Bauernhof ihres Vaters aufgewachsen ist. „Bei uns auf dem Hof war immer was los, ein ständiges Kommen und Gehen. Und Arbeit gab's auch immer genug."

„Kühe melken und so?", frage ich.

„Nein, wir hatten kein Vieh. Mein Vater baut Kartoffeln, Gemüse und Erdbeeren an. Früher auch Tabak, da habe ich bei der Ernte immer geholfen."

„Bis 23?"

„Nicht lustig", sagt Tanja. Sie hatte Recht: Es war nicht lustig. Aber sie hat sofort kapiert, was ich meine. Punkt für sie!

Tanjas Schilderungen ihrer Kindheit und Jugend faszinieren mich und ich höre gebannt zu. Ihr Vater ist außerdem Jäger. Sie erzählt von Treibjagden, von großen Jagdgesellschaften und rauschenden Festen. „Bei meinem Vater in der Vorratskammer findest du immer Wildschweinbratwurst und -salami. Die lässt er sich von einem befreundeten Metzger machen."

„Sollen wir was zu essen bestellen? Ich habe ganz schön Hunger bekommen von deiner Wildschweinbratwurst."

„Gute Idee, nicht dass du mir noch verhungerst", sagt Tanja und grinst. Wir greifen zur Karte. Die bietet allerdings für mich wenig Auswahl: Es gibt verschiedene Varianten von Burgern, Spaghetti und Flammkuchen.

Ich mag Burger. Aber nur, wenn ich sie aus der Hand essen kann und nicht, wenn eine Frikadelle, groß wie eine Billardkugel, zwischen zwei Brötchenhälften mit allerhand Zeugs aufgetürmt ist, fixiert mit einem Holzspieß, damit das Gesamtkunstwerk nicht umkippt. Das kann man unmöglich mit der Hand essen. Und wenn doch, dann könntest du mit der Nummer im Zirkus Roncalli auftreten. Zugegeben: Optisch sehen solche Burger immer toll aus und ich habe mich schon oft verführen lassen. Doch zufrieden bin ich hinterher nie. Mein Teller sieht danach jedes Mal aus wie ein Schlachtfeld. Und liegen bleibt immer der Deckel, also die obere Brötchenhälfte. Denn am Ende ist das Fleisch alle und Pommes gibt es ja auch noch.

Noch auf der Karte: Spaghetti. Doch die sind beim ersten Date für mich tabu. Hier sorgt bei mir nämlich die Fliehkraft regelmäßig für Soßenflecken. Ich drehe einfach zu schnell. Dabei ist auch mein Gegenüber gefährdet. Meiner Kollegin habe ich einmal die ganze Bluse versaut.

„Ich nehme, glaube ich, den Flammkuchen", sage ich und tue so, als ob ich mich noch nicht entschieden hätte. „Den nehme ich auch. Meinen Kampf mit Burger und Spaghetti will ich dir nicht zumuten", sagt Tanja und lacht. Wie sich herausstellt, liegen wir auch hier auf gleicher Welle. Wir stoßen an und schauen uns dabei tief in die Augen. Mir wird ganz warm ums Herz und ich habe ein gutes Gefühl. Sollte ich mit Tanja endlich die richtige Frau gefunden haben?

So gegen Mitternacht verabschieden wir uns. „Ich fand den Abend mit dir sehr schön und würde dich gerne wieder treffen", sage ich. „Mir ging es genauso. Lass uns telefonieren."

„Ja, und beim nächsten Mal erzähle ich dir vom saarländischen Schnarchbär. Versprochen!"

„Au ja, da bin ich schon sehr gespannt. Und mindestens einen Zaubertrick will ich sehen."

Und dann stelle ich ihr im Sinne meiner Oma noch die alles entscheidende Frage: „Magst du eigentlich Eierlikör?"

„Ich liebe Eierlikör", sagt Tanja und strahlt. Dann steigt sie in ihren roten Golf und fährt davon.

Ich bin happy. Auf dem Weg zu meinem Auto grinse ich vor mich hin und lasse den Abend noch einmal Revue passieren. Tanja hatte mich mit ihrer natürlichen Art begeistert. Wir haben den gleichen Humor, was entscheidend sein kann. Denn eines habe ich inzwischen begriffen: Wenn du nicht die gleichen Dinge lustig findest, wird's irgendwann unlustig.

Auf dem Heimweg lege ich die neue Ärzte-CD ein und singe lauthals mit: „Der Himmel ist blauuu, so blauuuuu, so blauuuuu, so blauuuu. Yeahhhhhh." Dabei trommele ich mit beiden Händen aufs Lenkrad und wippe zum Takt. Ich höre das Lied in Dauerschleife und bin extrem gut gelaunt. Später im Bett kann ich nicht einschlafen und habe noch immer Tanjas Lachen und ihr „ich liebe Eierlikör" im Ohr. Ich habe ein gutes Gefühl und freue mich auf das Wiedersehen. Hoffentlich schon bald.

Kapitel 19

Ein neues Auto

Montag, 15. August 2011

Ich kann es kaum erwarten, Tanja wieder zu treffen. Seit gestern Abend geht mir ihr Lachen nicht mehr aus dem Kopf.

19:01 Uhr

Hallo Tanja,

danke für den schönen Abend. Was machst du am nächsten Sonntag? Meine Töchter sind an dem Wochenende bei mir und werden gegen 18 Uhr abgeholt. Ich könnte also so ab 19 Uhr. Sollen wir irgendwohin was essen gehen? Was meinst Du?

Ich freue mich jedenfalls sehr, Dich wiederzusehen. Ganz liebe Grüße

Dirk

19:43 Uhr

Hallo Dirk,

ich fand den Abend auch sehr schön und nächsten Sonntag hört sich gut an. Sollen wir uns in Mannheim treffen und zu meinem Lieblingsitaliener gehen? Ansonsten freue ich mich auch über andere Vorschläge.

Viele liebe Grüße

Tanja

20:37 Uhr

Hallo Tanja,

ich bin schon sehr gespannt auf deinen Lieblingsitaliener. Schick mir die Adresse und wann wir uns dort treffen.

Ganz liebe Grüße

Dirk

Ich will zuerst noch mehr schreiben und hätte auch beinahe meinen Gefühlen freien Lauf gelassen, doch Vorsicht: Zu Beginn bloß nicht übertreiben. Das könnte nach hinten losgehen. Also reiße ich mich zusammen und fahre den Rechner runter.

Mittwoch, 17. August 2011, 19:07 Uhr

Hallo Dirk,

puh ... ich weiß grade gar nicht, wie ich es schreiben soll, aber meine Freundin hat mich eben daran erinnert, dass wir am Sonntag auf einem Geburtstag eingeladen sind, den ich vollkommen und erfolgreich verdrängt habe. Es tut mir wahnsinnig leid, aber ich kann deshalb am Sonntag leider nicht. Ich möchte dich aber auf jeden Fall gerne wiedersehen, vielleicht dann in der Woche drauf oder am Wochenende drauf, je nachdem, wie du dann Zeit hast. Vielleicht können wir ja auch noch mal telefonieren. Ganz liebe Grüße

Tanja

20:42 Uhr

Hallo Tanja,

kein Problem, ich kenne das mit den Terminen, die man verdrängt ... Ja, lass uns telefonieren. Ich möchte dich auch unbedingt wiedersehen.

Ganz liebe Grüße

Dirk

Wir telefonierten lange miteinander. Kennst du das, wenn du jemand zum ersten Mal triffst und dich wohl fühlst, gemeinsam lachst und denkst, du würdest diesen Menschen schon länger kennen? Genauso war es mit Tanja.

Nächsten Mittwoch sind wir verabredet. In Mannheim bei ihrem Lieblingsitaliener. Doch jetzt ist erst einmal Wochenende und meine Töchter kommen. Darauf freue ich mich wie immer sehr.

„Papa, Papa, Papaaaaaaaaa", begrüßen mich die beiden am Freitagnachmittag und fallen mir um den Hals. „Warst du beim Friseur?", fragen sie und wuscheln mir dabei durchs frisch geschnittene Haar. „Schön kurz, gell", sage ich und lache. „Was machen wir am Wochenende? Gehst du mit uns ins Schwimmbad?"

„Ja, machen wir, und wir suchen uns ein neues Auto aus."

„Wieso ein neues Auto?", fragen sie und schauen mich erstaunt an. „Unser Auto ist nur geliehen und der Händler, dem es gehört, will es zurück. Aber wir leihen uns bei ihm ein neues."

„Wieso leihen wir dann nicht das alte weiter?",
fragt die Große. „Er verleiht seine Autos immer nur
drei Jahre. Danach verkauft er sie."

„Dann können wir es ihm doch abkaufen."

„Im Prinzip schon, aber wenn ein Auto älter wird,
geht es schneller kaputt. Und die Reparaturen sind
teuer. Deshalb leihen wir lieber wieder ein neues."

„Und was für eins?", fragt die Kleine.

„Wir suchen uns morgen ein schönes aus, in das
wir alle reinpassen", sage ich und lache. „Wir kriegen
ein neues Auto, wir kriegen ein neues Auto", rufen
sie, fassen sich dabei an den Händen und tanzen im
Kreis.

„Was für eine Farbe hat das neue Auto, Papa?",
fragt die Große. „Na, die, die wir uns aussuchen."

„Ich will ein rotes", sagt die Kleine. „Schauen wir
mal, es muss uns ja allen gefallen. Auch mir. Und jetzt
ab Händewaschen, es gibt gleich Abendbrot."

Bei uns im Nachbardorf gibt es einen Renault-
Händler. Acht Jahre zuvor war ich auf einer Gewer-
beausstellung bei ihm am Stand. Der Verkäufer de-
monstrierte mir damals, wie flexibel ein Minivan sein

kann. In den Kofferraum passte bequem der Kinderwagen, die Sitze konnten alle umgelegt, ja sogar mit einem Handgriff ausgebaut werden, auch der Beifahrersitz. Doch nicht nur das: Nachdem alles ruckzuck wieder eingebaut war, zog er an einer Schlaufe im Kofferraum. Es klappten zwei zusätzliche Sitze nach oben und verwandelten das Auto im Nu in einen 7-Sitzer. Ich war begeistert. Das Auto war das reinste Schweizer Taschenmesser. Eine Woche später hatte ich den Kaufvertrag unterschrieben.

Du musst wissen, wenn ich mir etwas anschaffe, gibt es zwei Möglichkeiten: Entweder ich informiere mich vorab sehr gründlich und beschäftige mich intensiv mit der Materie oder ich kaufe spontan. Aber nur, wenn es jemand schafft, mich zu begeistern. Dann wird bei mir ein Neandertaler-Gen aktiviert und ich will sofort Beute machen. Das passiert mir regelmäßig beim Verkaufskanal im Fernsehen oder im Baumarkt. Wenn ich dort länger vor einem dieser kleinen Fernseher stehen bleibe und sehe, wie einfach die Fugen im Bad zu reinigen sind oder wie schnell so ein Kratzer im Auto wegpoliert werden kann, liegt das Zeug in meinem Einkaufswagen. Mich faszinieren die Geräte, die das Leben leichter machen, und die angepriesenen Wundermittel derart, dass ich sie kaufen muss.

Stell dir vor: Vor ein paar Wochen habe ich etwas bestellt, um ein Ledersofa oder eine Lederjacke zu schützen, obwohl ich weder das eine noch das andere besitze. Ich war eben begeistert, wie der Fachmann im Fernsehen sein Sofa mit dem Wundermittel einrieb, danach eine Flasche Rotwein drüber kippte und dieser komplett vom Sofa abperlte. Man sah nichts. Nicht den kleinsten Fleck. Der Fachmann sprach von einem Schutzschild und was ohne diesen passiert wäre und wie viel die Reinigung gekostet hätte. Dazu kam, dass alles nur heute besonders günstig sei und es nur noch wenige Tuben des Fleckenstopps gebe, was ein rückwärtslaufender Zählerstand am rechten Bildschirmrand bewies. Jetzt mal ehrlich: Wer würde da nicht schwach werden? Jedenfalls bin ich nun gerüstet und werde mir vielleicht irgendwann einmal ein Ledersofa für den Fleckenstopp kaufen.

Zurück zum Wochenende mit meinen Töchtern: Am Samstagvormittag geht's zum Autohaus. Dort werden wir von Herrn Meier begrüßt. Er ist ein begnadeter Verkäufer. Der hätte sogar meiner Oma ein

Auto angedreht und die hatte gar keinen Führerschein. Wahrscheinlich hätte er sie im hohen Alter noch in die Fahrschule gequatscht und danach – zack - wäre sie mit einem Renault vom Hof gefahren. Nicht ohne ihm vorher zum Dank noch eine Flasche ihres selbstgemachten Eierlikörs zu überreichen.

„Hallo Herr Omlor, geht's gut?", sagt er und kommt uns entgegen. „Ach Gott, seid ihr groß geworden, ihr habt ja euren Papa bald eingeholt", begrüßt er die Mädchen und gibt ihnen die Hand. Er zwinkert ihnen zu und grinst.

„Wir wollen uns nur mal kurz umsehen. Der Leasingvertrag läuft bald aus."

„Gut, dass Sie hier sind, ich habe da gerade einen Wagen reinbekommen, der ist wie für Sie gemacht."

„Papa, Papa, schau mal, wie toll", rufen meine Töchter. Sie sind zu einem Cabriolet in der Verkaufshalle gerannt und winken mir zu. „Nein, ein Cabriolet können wir nicht kaufen, da passen wir nicht alle rein. Außerdem ist der Kofferraum zu klein für meine Zaubersachen", sage ich. „Das ist ein Viersitzer, ein ganz besonderes Modell", sagt Herr Meier und geht mit mir zu dem Wagen. „Wollt ihr euch reinsetzen?"

Und schon sitzen beide auf der Rückbank. „Siehst du Papa, da ist genug Platz", sagen sie und strahlen.

Ich muss zugeben: Ich war damals schockverliebt in den Wagen. Es handelte sich um das Sondermodell Megane „Floride", das an das gleichnamige Cabriolet von Renault erinnern sollte, das in den 50er Jahren zum Kassenschlager wurde. Sogar Grace Kelly fuhr damals einen. Die Kombination der Stoff-Leder-Polsterung für Sitze, Lenkrad und Türverkleidung in Dunkelrot und Elfenbein, das dunkelrote Armaturenbrett und die dunkelrote Abdeckung des eingefahrenen Daches passten hervorragend zur beigefarbenen Außenlackierung und den cremefarbenen Leichtmetallfelgen. Die Fahrzeugflanken und die Armaturentafel waren mit dem Floride-Schriftzug in Chrom verziert, das historische Emblem war auf dem Schaltknauf und dem vorderen Kotflügel zu sehen und in die Fußmatten eingestickt. Eine nummerierte Plakette auf der Mittelkonsole wies auf die Limitierung des Sondermodells hin.

„Davon werden nur 500 Stück gebaut und ob es im nächsten Jahr noch einmal eine Neuauflage gibt, steht noch nicht fest", sagt Herr Meier und macht dabei ein besorgtes Gesicht. Meine Töchter sind inzwischen wieder ausgestiegen und hüpfen begeistert um das Auto. „Es ist ein Schmuckstück, dem Sie auf der Straße ganz selten begegnen werden. Wir haben nur den einen und bereits einige Interessenten dafür. Wenn Sie ihn haben wollen, sage ich den anderen ab." Damit hat er mich fast am Haken.

Dann legt er nach: Er setzt sich auf den Fahrersitz und drückt einen Knopf. Wie durch Geisterhand schließt sich das Dach aus getöntem Glas und verwandelt das Cabriolet in eine Limousine. „Der gläserne Himmel gibt Ihnen auch bei geschlossener Fahrt jede Menge Licht von oben und das Gefühl von Freiheit. Und die Versicherungsprämie ist deutlich niedriger als bei einem Stoffdach", sagt Herr Meier. Danach zeigt er mir den Kofferraum. Und der ist groß.

Allerdings nur bei geschlossenem Dach, was der Verkäufer verschweigt. Bei offener Fahrt ist nämlich das komplette Glasdach im Kofferraum untergebracht. Kurz: Statt der von ihm angepriesenen sechs Kästen Bier, die da reinpassen sollen, kannst du bei offener Fahrt gerade einmal ein Sixpack dort unterbringen. Doch das weiß ich zu diesem Zeitpunkt noch nicht und mein Neandertaler-Gen ist bereits aktiviert: Ich will Beute machen.

Mit einem breiten Grinsen schleicht Herr Meier um den Wagen und wischt mit einem gelben Flanelltuch über die Motorhaube. „Der Floride hat außerdem Vollausstattung mit Navigationssystem und Klima-Komfort-Anlage. Dazu ein 35 Watt starkes Soundsystem. Außerdem beheizbare Vordersitze, Windschott und Einparkhilfe vorne und hinten. Und beachten Sie den Preisvorteil des Sondermodells: 1.000 Euro sparen Sie gegenüber der normalen Version. Aber überlegen Sie nicht zu lange, sonst ist er weg." Meine Töchter klammern sich rechts und links an mich und rufen: „Papa, Papa, das ist das tollste Auto auf der ganzen Welt, das müssen wir haben." Fünf Minuten später unterschreibe ich den Leasingvertrag.

Ab nächster Woche fahre ich also ein cremefarbenes Cabriolet mit cremefarbenen Alufelgen, roten Ledersitzen, einem roten Armaturenbrett mit elfenbeinfarbenen Einlagen und einem rot-weißen Lederlenkrad. Tanja wird Augen machen!

Kapitel 20

Der Trick meines Opas

Freitag, 26. August 2011

Der Höhepunkt dieser Woche war das zweite Treffen mit Tanja. Am Ende verabredeten wir uns wieder. „Wenn du mir beim nächsten Mal nichts vorzauberst, gibt es Ärger", sagt sie beim Verabschieden und lacht. Ich hatte in der Tat nichts vorgeführt, obwohl ich ein paar Utensilien dabei hatte. Wir unterhielten uns zu gut und der Abend bei ihrem Lieblingsitaliener war wieder viel zu schnell vorbei. „Ich zaubere am Samstag, versprochen. Ich muss vorher nur noch ein bisschen üben. Ich hole dich um fünf ab und bringe meinen Zauberkoffer mit." Von dem neuen Auto sage ich nichts. Das soll eine Überraschung werden.

„Bis Samstag, ich freu mich."

„Ich mich auch", ruft sie, winkt und fährt los.

Heute habe ich den Wagen abgeholt. Da ich noch nie zuvor ein Cabriolet gefahren habe, erklärt mir der Verkäufer alles ganz genau. „Wenn Sie hier drücken, geht das Dach auf. Das dürfen Sie aber auf gar keinen Fall während der Fahrt machen", sagt er. „Auch zumachen bitte immer nur im Stehen. So und jetzt zeige ich Ihnen noch, wie der Windschott angebracht wird."

„Wozu braucht man den?"

„Der lenkt den Wind um, damit es nicht so zieht." Ich bin irritiert: „Ich will doch gerade, dass es zieht, sonst brauche ich ja kein Cabriolet."

„Probieren Sie es aus. Die einen mögen es lieber ohne, die anderen mit. Wie im richtigen Leben", sagt er und grinst. „Und denken Sie an den Sonnenschutz. Durch den Fahrtwind spüren Sie die Hitze nicht und bekommen an einem heißen Tag wie heute leicht einen Sonnenbrand."

„Am besten, ich lasse das Dach zu und fahre mit Klimaanlage", sage ich und lache. Ich bin vorbereitet, habe Sonnencreme, ein Baseball-Cap und eine Sonnenbrille dabei. Und weil der Renault Floride echt französisches Flair versprüht, auch eine CD mit Chansons.

Ich bin nämlich ein wenig frankophil, was wahrscheinlich daran liegt, dass ich im Saarland unweit der französischen Grenze aufgewachsen bin. Ich mag den französischen Lebensstil, von dem wir Saarländer vieles übernommen haben. So hat auch für uns gutes Essen einen sehr hohen Stellenwert. Das Motto der Saarländer lautet „Hauptsach gudd gess, geschafft hann mir schnell", was übersetzt heißt: Die Hauptsache ist eine gute Mahlzeit, die Arbeit ist bei uns schnell erledigt.

„Haben Sie noch Fragen, Herr Omlor?"

„Nein, soweit ist alles klar. Wenn was klemmt, melde ich mich." Ich schmiere mir Sonnenschutzfaktor 20 ins Gesicht und auf die Arme, setze meine Sonnenbrille und die Kappe auf, lege die CD ein, mache die Musik laut und fahre zu dem Lied „Tous les garçons et les filles" von Françoise Hardy vom Hof. Im Rückspiegel sehe ich den Verkäufer, der mir mit einem breiten Grinsen nachwinkt.

Ich fahre die Weinstraße entlang und fühle mich frei. Der Wind weht mir um die Nase und mir ist sofort klar: Den Windschott brauche ich definitiv nicht. Ich werde ihn im Keller einlagern.

Zwei Stunden später komme ich gut durchgelüftet zuhause an und bewundere mein neues Auto. Die Designer haben hier wirklich alle Register gezogen. Einziger Nachteil: Während ich vorher mit einem dunkelgrauen Kombi quasi optisch mit dem Asphalt verschmolz, falle ich mit dieser Kiste nun extrem auf.

„Ouh, hast du ein neues Auto?", fragt mein Nachbar Klaus, als er mich in der Einfahrt neben dem Wagen sieht. „Na, du traust dich was, mit so einem Schlitten durchs Dorf zu fahren. Willst du damit die Weiber aufreißen?", fragt er. „Wenn's klappt, wäre doch gut", sage ich.

„Na dann, Petri Heil." Er grinst, dreht sich um und geht kopfschüttelnd in seinen Garten.

Samstag, 27. August 2011

In Maikammer, einem romantischen Dorf direkt an der Südlichen Weinstraße gelegen, habe ich für heute Abend in meinem Lieblingsrestaurant, dem Gasthaus zum Winzer, einen Tisch reserviert. Ich wohne nicht weit entfernt, bin Stammgast und inzwischen mit der Wirtsfamilie befreundet. Der Gastraum ist rustikal eingerichtet und erinnert eher an eine gemütliche Weinstube als an ein edles Restaurant.

Das Essen dort würde ich als gehobene Küche mit bodenständigem Charakter beschreiben. Heißt: Du isst hervorragend und wirst dabei satt. Der Kachelofen mitten im Gastraum strahlt im Winter eine wohlige Wärme aus und im Sommer fühlst du dich in dem Innenhof mit mediterranem Flair wie im Urlaub. Für das dritte Date mit Tanja hätte ich mir kein schöneres Lokal vorstellen können.

Als ich Tanja um 17 Uhr mit dem neuen Wagen abhole, ist „schick", das Einzige, das sie zunächst dazu sagt. „Den habe ich seit gestern, ich wollte dich damit überraschen."

„Das ist dir gelungen", sagt sie und fährt mit den Fingern über das dunkelrote Armaturenbrett. „Ich wollte schon immer ein Cabriolet fahren und dachte mir, wenn nicht jetzt, wann dann", erkläre ich. „Offen bin ich auch noch nie gefahren. Mehr als ein Schiebedach war bisher nicht drin", sagt sie.

„Wir machen eine Spritztour nach Maikammer und gehen dort in mein Lieblingsrestaurant", schlage ich vor.

Während der Fahrt pfeift uns der Wind so laut um die Ohren, dass keine Unterhaltung möglich ist. „Wenn ich das gewusst hätte, hätte ich ein Haargummi eingesteckt", schreit Tanja in meine Richtung. Ihre langen blonden Haare flattern kreuz und quer und sind nicht mehr zu bändigen. Gerne würde ich ihr meine Kappe geben, doch die liegt zuhause. Genau wie der Windschott.

Eine gute halbe Stunde später kommen wir in Maikammer an. Tanja sieht aus wie unser Hamster nach seinem Unfall. Oder, du erinnerst dich vielleicht noch an die Werbung des Autovermieters Sixt, bei der man zwei Bilder von Angela Merkel sah. Eins mit normaler Frisur und eines, auf dem ihr die Haare zu Berge stehen, nachdem sie mit einem Cabriolet gefahren ist. „Du siehst aus wie die Merkel in der Sixt-Werbung." Wir lachen. „Können wir bitte noch bei dir vorbei. Du hast doch bestimmt eine Bürste, so kann ich unmöglich weggehen."

Bei mir zuhause verschwindet Tanja im Bad. Ein paar Minuten später ist die Frisur wieder einigermaßen normal. „Gut siehst du aus. Die Wohnungsbesichtigung machen wir später. Wir müssen los, unser Tisch ist für sechs Uhr reserviert." Ich drücke ihr noch Haargummis von meinen Töchtern und meine Baseball-Kappe in die Hand. „Für die Rückfahrt. Wenn das auch nicht klappt, lassen wir das Dach einfach zu."

Um kurz vor sechs kommen wir im Lokal an. Der Oberkellner winkt uns von Weitem zu. Er arbeitet seit vielen Jahren in dem Restaurant und ist dort eine echte Institution. Die Gäste halten ihn sogar für den Chef. Mit seinem schwarzen Hemd und der roten Krawatte sieht er nicht gerade aus wie ein Kellner und er begrüßt die Gäste so persönlich, wie es normalerweise nur der Wirt selbst macht. Der eigentliche Chef bleibt für die Gäste meist unsichtbar. Er ist in der Küche und kocht.

Mit „Hallo Herr Omlor, schön Sie zu sehen. Wir haben Ihnen im Hof Ihren Lieblingstisch reserviert", werden wir begrüßt und an den Platz gebracht. „Herr Omlor, als Aperitif wie immer ein Pils und für Sie vielleicht ein Glas Sekt?"

„Wir nehmen zur Feier des Tages zwei Gläser Sekt. Und eine Flasche Wasser dürfen Sie auch gleich bringen", sage ich und schaue zu Tanja, die zu lächeln beginnt. „Aha, wie immer ein Pils? Wie oft kommst du hierher?"

„Na ja, so ein, zwei Mal im Jahr", sage ich und grinse. Dass ich hier seit Jahren an Silvester als Zauberer gebucht bin und mich deshalb alle kennen, verrate ich ihr erst später.

Der Kellner serviert uns den Sekt. „Heute gibt es außer der Reihe das Rückenfilet vom Kabeljau an Kerbel-Sauce und hausgemachten Spinat-Gnocchi", sagt er und reicht uns die Speisenkarte. „Trinken wir auf unser Kennenlernen", sage ich und stoße mit Tanja an. Dabei schauen wir uns tief in die Augen, mir wird heiß und kalt und es entsteht dieser magische Moment, an den ich mich noch heute ganz genau erinnern kann.

Wir bestellen beide den Bürgermeisterstreich, ein Rumpsteak mit Kräuterkruste und allerlei Beilagen. „Ist alles recht, Herr Omlor?", fragt der Kellner, als er zwischendurch vorbeischaut. „Bei mir ist auch alles recht, nicht nur bei Herrn Omlor", flüstert Tanja über den Tisch, als er weg ist. Wir amüsieren uns und bestellen beide noch eine leckere Nachspeise, dazu Kaffee. „Der Herr Omlor will mir jetzt endlich einen Zaubertrick zeigen. Gell, Herr Omlor", sagt Tanja. Dabei lacht sie so entzückend, dass es mir beinahe die Sprache verschlägt.

„Also gut, ich habe da mal was vorbereitet", sage ich und ziehe ein Kartenspiel aus meiner Tasche. Dann erzähle ich ihr eine Geschichte von meinem Großvater.

Du musst wissen, mein Opa hatte tatsächlich kurz nach dem Krieg in seinem Dorf mit einem Kartentrick für Furore gesorgt. Er saß mit seinen Stammtischbrüdern in der Wirtschaft und ließ sich vom Wirt ein Kartenspiel geben. Dann verbanden sie ihm die Augen und er hielt sich anschließend eine Karte nach der anderen an die Stirn und murmelte die Farbe der Karte, also schwarz oder rot. Und jedes Mal lag er richtig. Das wiederholte er Woche für Woche und schon bald sprach das ganze Dorf über dieses Wunder und über meinen Opa.

Während ich das erzähle, demonstriere ich Tanja das Ganze mit meinem Kartenspiel. „Na ja, irgendwie konnte er eben durch die Augenbinde durchsehen", sagt sie. „Ja, genau das dachten natürlich die anderen damals auch. Deshalb ließ er sich die Augen mit Klebeband zukleben."

„Mit Klebeband?"

„Ja, es war sogar noch mehr. Zuerst ließ er sich zwei Fünfmarkstücke auf die geschlossenen Augen legen, darauf kamen zwei Batzen Hefeteig und Mullkompressen. Das alles wurde mit Klebeband fixiert. Darüber die Augenbinde. Er konnte also wirklich nichts sehen", erkläre ich.

„Und trotzdem konnte er die Farben richtig zuordnen?"

„Zu 100 Prozent."

„Dann waren die Karten gezinkt."

„Um das auszuschließen, wurden die Karten von den anderen mitgebracht und vorher auch immer gut gemischt", sage ich und mische dabei zur Demonstration das Kartenspiel. „Es gab also keine Erklärung und mein Opa machte diesen Spaß noch ein paar Wochen weiter, bevor er das Geheimnis lüftete."

„Jetzt bin ich aber gespannt."

„Ich kann dir doch nicht das streng gehütete Geheimnis meines Großvaters verraten", sage ich und lache. Tanja findet das gar nicht lustig und protestiert. „Also gut, ich verrate es dir. Mein Opa hatte …"

„Darf's noch etwas sein, Herr Omlor?", fragt der Kellner und bemerkt Tanjas Blick. „Ich komme später nochmal, wenn's recht ist."

„Dein Opa hatte ...", drängt Tanja. „Mein Opa hatte einen Komplizen. Ein Stammtischbruder hatte ihm unter dem Tisch bei einer roten Karte immer auf den Fuß getreten. So einfach ist das." Tanja schaut mich erstaunt an. „Genial einfach", sagt sie, dann fängt sie an zu lachen.

„Jetzt aber zu dir", sage ich und gebe ihr das Kartenspiel. „Du legst nun zuerst eine schwarze Karte bildoffen auf den Tisch, dann eine rote Karte bildoffen daneben. Dann mischst du das Spiel noch einmal." Tanja folgt meinen Anweisungen und mischt gekonnt die Karten.

„Spielst du öfter Karten?"

„Na ja, so ein, zwei Mal im Jahr", sagt sie und grinst. „Misch ruhig noch einmal durch", sage ich und beobachte sie dabei genau.

„Und jetzt?"

„Jetzt stoßen wir an und trinken noch einen Schluck Wein, damit es gelingt."

„Du willst doch nur ablenken."

„Erwischt!" Wir lachen.

„Nimm jetzt je eine Karte verdeckt, also eine nach der anderen, und lege sie entweder zu der schwarzen, wenn du das Gefühl hast, sie könnte schwarz sein, oder eben zu der roten. Aber noch nicht nachschauen, ob es richtig ist. Das machen wir erst am Ende", erkläre ich. „Verlass dich dabei ganz auf dein Gefühl. Aber denk dran, es sind genauso viele rote wie schwarze Karten im Spiel."

„Soll ich mitzählen?"

„Nein, nein, am Ende spielt das keine Rolle. Ich wollte damit nur sagen, dass du ab und zu auch die Farbe wechseln solltest. Aber das hast du ja im Gefühl", sage ich und grinse. „Du kannst dabei auch die Augen schließen."

„Auf gar keinen Fall, ich will sehen, dass du nichts machst."

Nach ein paar Minuten ist Tanja mit dem Auslegen der Karten fertig. „Na, wie ist dein Gefühl? Wie hoch ist deine Trefferquote?", frage ich. Sie zuckte mit den Schultern. „Keine Ahnung, 20 Prozent?"

„Schauen wir nach. Also hier sollten jetzt möglichst viele schwarze Karten liegen und hier möglichst viele rote", dabei drehe ich die Karten vor ihrer Nase ganz langsam um. Tanja verschlägt es die Sprache: Auf der einen Seite liegen lauter schwarze Karten, auf der anderen Seite nur rote.

„Gratulation, du hast die Karten zu 100 Prozent richtig sortiert. Blind. Echt stark!" Tanja sieht mich verblüfft an. Dann nimmt sie die Karten, dreht sie um, hält sie ins Licht. Sie schaut unter den Tisch und verlangt von mir, aufzustehen. „Du hast die Karten vertauscht, gib es zu!"

„Nein, ich habe die Karten nicht angerührt und auch keine anderen Karten dabei, du kannst mich gern untersuchen."

„Wie geht das? Ich habe doch alles selbst gemacht. Sag schon, wie geht das?"

„Also das geht …"

„Darf's noch etwas sein, Herr Omlor?", funkt der Kellner wieder dazwischen.

„Danke nein, es war ein sehr schöner Abend, bringen Sie mir die Rechnung."

„Jetzt sag schon, wie geht das?", bohrt Tanja nach. „Das geht gut, siehst du doch."

„Blödmann."

„Kannst du ein Geheimnis für dich behalten?"

„Ja klar", sagt sie und schaut mich ganz gespannt an.

„Ich auch", sage ich und lache. „Nochmal Blödmann. Jetzt sag schon, wie geht das?"

„Wenn ich es dir verrate, ist die Illusion im Eimer und du bist im wahrsten Sinne des Wortes enttäuscht. Das wäre doch echt schade, oder?" Tanja gibt schließlich auf und wir reden noch etwas über die Zauberkunst, wie viel man üben muss und wie das alles bei mir begann. Dann machen wir uns auf den Heimweg.

„Wir können ja noch auf einen Kaffee zu mir fahren. Dann zeige ich dir noch meinen saarländischen Schnarchbär", sage ich und grinse. „Wenn du mir vorher verrätst, wie der Kartentrick geht", sagt Tanja und lacht.

Wir steigen in den Wagen, ich öffne das Dach, lege die CD mit den Chansons ein und wir fahren im cremefarbenen Cabriolet in den Sonnenuntergang.

Kapitel 21

Papas neue Freundin

September 2011

„Papa ist verliiiiiiiebt, Papa ist verliiiiiiiebt", rufen die Mädchen, als ich ihnen von Tanja erzähle. „Was hat sie für Haare?", will die Kleine wissen. „Lang, blond, glatt und glänzend mit ein paar helleren Strähnchen drin", beschreibe ich Tanjas Frisur so gut ich kann.

„Wie mein Frisierkopf, den mir die Oma zu Weihnachten geschenkt hat."

„Ja genau. Nach einer längeren Autobahnfahrt im offenen Cabriolet allerdings eher wie Eddi nach dem Biss ins Stromkabel." Wir lachen.

„Ist sie hübsch?", fragt die Große. „Na klar ist sie hübsch. Oder denkt ihr, euer Vater sucht sich eine hässliche Freundin. Sie ist hübsch, sie ist nett und sie wird euch gefallen. Mehr wird noch nicht verraten, morgen lernt ihr sie ja kennen."

„Wann kommt sie?", fragt die Kleine.

„Am Nachmittag, zu Kaffee und Kuchen."

„Du willst Kuchen backen? Papa, du kannst doch gar nicht backen", stellt die Große fest.

„Wir kaufen einen beim Bäcker."

„Au ja, so einen Nusszopf mit Schokolade drum oder so einen leckeren Rahmkuchen", sagt die Kleine.

„Wir nehmen am besten beides, dann kann nichts schiefgehen", sage ich.

Wenn ich gewusst hätte, wie aufgeregt die Kinder auf Tanjas Besuch reagieren, hätte ich ihnen nicht schon einen Tag vorher davon erzählt. Den ganzen Tag gab es kein anderes Thema mehr. Tanja hier, Tanja dort. Die meisten Fragen konnte ich gar nicht beantworten, schließlich kannte ich sie ja auch erst seit ein paar Wochen.

Auch abends im Bett ist Tanja immer noch Thema Nummer eins. Die Mädchen kommen erst zur Ruhe, als ich anfange, ihnen „Die kleine Hexe", eines ihrer Lieblingsbücher, vorzulesen. Gespannt hören sie zu und beim Kapitel mit den Papierblumen schlafen sie schließlich ein.

„Papa, Papa, aufstehen! Tanja kommt heute und wir müssen noch alles vorbereiten", werde ich bereits kurz nach acht unsanft geweckt. „Sie kommt aber doch erst um vier, wir können also noch ein Stündchen schlafen."

„Papa! Du musst aufstehen", rufen sie und ziehen mir die Bettdecke weg. „Noch fünf Minütchen", bettele ich, doch die beiden haben bereits die nächste Stufe ihres Weckfolterprogramms gezündet: Sie kitzeln mich. Und ich bin verdammt kitzelig. „Aufhöööörn, sofort aufhööööörn", rufe ich, springe aus dem Bett und flüchte ins Bad. Lachend rennen sie mir hinterher.

Nach dem Frühstück bringen wir die Wohnung auf Hochglanz und gehen einkaufen. Die Zeit bis zum Nachmittag vertreiben wir uns mit Brettspielen. Die Kaffeetafel ist gedeckt und die Mädchen haben sogar noch ein paar Gänseblümchen gepflückt, die ich in einem Schnapsglas auf den Tisch stelle. Jetzt heißt es warten. Seit Viertel vor vier stehen wir am Küchenfenster und beobachten die Straße und den Parkplatz vorm Haus. Wie mir Tanja später erzählte, war sie mindestens genauso aufgeregt wie ich und die Kinder.

Die Kleine entdeckt den roten Golf zuerst und lässt einen schrillen Schrei los, in den die Große mit einstimmt. „Sie kommt, sie kommt, Papa, sie kommt", rufen beide und hüpfen vorm Fenster auf und ab. Tanja steigt aus, hört die Schreie und winkt uns zu. Die Mädchen rennen zur Haustür. Zu dritt stehen wir als Begrüßungskommando im Türrahmen, Tanja läuft uns lächelnd entgegen.

„Hallo ihr zwei, ich bin die Tanja."

„Darf ich vorstellen. Meine allergrößten Goldschätze", sage ich.

„Paaaapaaaa!", werde ich von beiden gerügt.

„Ihr seid ja wirklich schon so groß wie der Papa erzählt hat." Bei einem Besuch vorher hatte Tanja nämlich Hausschuhe in Größe 41 bei mir entdeckt und konnte kaum glauben, dass die meiner elfjährigen Tochter gehören.

„Deine Haare sind toll und deine Augen, genau wie meine", sagt die Kleine. Das Eis war gebrochen und Tanja musste seitdem immer wieder als Frisierkopf herhalten. Unzählige Male wurden ihr Zöpfe geflochten, Haarreife und Klammern gesteckt und jede Menge neue Frisuren drapiert.

Etwa ein halbes Jahr später zog Tanja bei mir ein, fünf Jahre später haben wir geheiratet. Jedes Wochenende, an denen die Kinder bei uns waren, hatten wir alle viel Spaß miteinander. Auch an die gemeinsamen Urlaube denke ich gerne zurück. Die Kinder mochten Tanja und Tanja die Kinder. Wir waren eine echte Patchworkfamilie und die Mädchen waren froh, dass ich nun nicht mehr allein war. Auch ohne Hamster.

Epilog

Eine neue Welt

Zehn Jahre später, Mai 2021

Was mich damals geritten hat, ein cremefarbenes Cabriolet mit roten Ledersitzen, rotem Armaturenbrett mit elfenbeinfarbenen Einlagen und einem rot-weißen Lederlenkrad zu fahren, kann ich heute nicht mehr sagen. Vielleicht waren es Hormonstörungen. Das soll ja auch bei Männern verheerende Folgen haben. Wie sonst hätte ich den kleinen Kofferraum als groß wahrnehmen können. Jahrelang musste ich meine Zaubersachen wie bei Tetris hineinpuzzeln. Ich war jedenfalls froh, als der Leasingvertrag auslief.

Tanja erzählte mir später, sie habe sich damals gewundert, als ich sie zum ersten Mal mit dem Wagen abholte. Noch dazu – und das hatte ich total vergessen – trug ich eine weiße Jeans und ein lilafarbenes Poloshirt. In Kombination mit den rot-weißen Sitzen und dem doch etwas femininen Cabriolet sei das ein recht merkwürdiger Anblick gewesen, sagt sie.

Ihr Vater hat nach meinem Besuch ihren Brüdern erzählt, dass Tanjas „neuer Prinz" nicht auf einem weißen Pferd, sondern mit einem spermafarbenen Schlitten vorbeikam. Recht hatte er. Erst später bemerkte ich, dass in der Farbe Ivory-Beige, die von Herrn Meier als etwas ganz Besonderes beschrieben wurde, jedes Taxi durch die Gegend fährt. Hormonstörungen, definitiv Hormonstörungen.

Zugegeben: Ich wollte schon immer ein Cabriolet fahren und das Sondermodell Floride war ein schöner Wagen. Aber eben für Barbie und nicht für Ken. In der Rangliste der unmännlichsten Autos dürfte die Version von 2011 auch heute noch ganz weit vorne liegen. Der Floride schmeichelt einer hübschen Französin, die damit eine Küstenstraße an der Côte d'Azur entlangfährt. Ich könnte mir auch gut Conchita Wurst vorstellen, wie sie damit über die Alpen braust und ihren Hit „Rise Like a Phoenix" singt. Wenn aber der Omlor mit einem solchen Cabriolet durchs Dorf tuckert und Chansons aus dem Radio dröhnen, heißt es am Ende: Wir haben es immer geahnt.

Seit über einem Jahr brauche ich überhaupt kein Auto mehr. Es steht seit Pandemiebeginn in der Garage. Keine Gastspiele, keine Galas. Nichts. Wie lange das noch so bleibt, steht in den Sternen. Um überhaupt etwas zu tun, schreibe ich. Zuerst ein neues Programm für meine Bühnenfigur Rudi Lauer, jetzt dieses Buch. Sollten neue Mutanten kommen und der ganze Zirkus wieder von vorne losgehen, lerne ich ein Instrument. Ich habe schon immer bedauert, dass ich weder Gitarre noch Klavier oder Schlagzeug spielen kann. Das könnte ich dann nachholen. Und zwar genau in dieser Reihenfolge. Danach noch ein paar Fernstudien in allem, was mich interessiert.

Fest steht: Seit meiner frühesten Kindheit war ich noch nie so lange und an einem Stück zuhause. Gleichzeitig hat Tanja Homeoffice. Inzwischen haben wir das Haus, in dem wir seit sechs Jahren leben, auf Vordermann gebracht, haben die Wände gestrichen, uns um den Garten und den Hof gekümmert und den Keller aufgeräumt. Jetzt gibt es nichts mehr zu tun. Wir hocken uns den ganzen Tag auf der Pelle, nachts ist Ausgangssperre. Tanja puzzelt, ich schreibe. Seit sie angefangen hat, den Entwurf des Buches zu lesen, ist sie außerdem in merkwürdiger Stimmung. Sie

hatte damals nämlich nur zwei Dates und ich scheinbar hunderte.

Einige Wochen später ...

Heute kommen meine Töchter zu Besuch. Sie sind
inzwischen erwachsen. Die Kleine wird in ein paar
Wochen 18, die Große ist 21. Ich bin stolz auf sie, weil
sie ihren Weg so erfolgreich meistern. Die regelmäßi-
gen Besuche an den Wochenenden sind leider vorbei.
Sie kommen inzwischen eher sporadisch zu mir,
wenn sie eben gerade Zeit, Lust und Laune haben.
Beide waren wegen der dritten Welle und den ver-
schärften Regeln schon eine ganze Zeit lang nicht
mehr hier. Heute bleiben sie sogar über Nacht und
wir wollen zusammen so ein richtig schönes Papa-
Wochenende verbringen. Voller Vorfreude habe ich
das Haus auf Hochglanz gebracht und einen Kuchen
gebacken.

„Hallo Papaaaaaaa!", rufen beide beinahe gleichzeitig, als sie aus dem Wagen steigen. Ich stehe mit
feuchten Augen in der Haustür und winke ihnen zu.
„Hallo, meine Goldschätze", rufe ich zurück. Nach
einer festen Umarmung mit Drücken und Schaukeln
gehen wir ins Haus. „Du hast ja wieder einen Bart.

Wieso das denn?", fragt die Große. „Ich muss Rasier-
klingen sparen. Du weißt ja, keine Auftritte", sage ich
und lache.

„Ist Tanja nicht da?", fragt die Kleine, während
sie mit ihrer Schwester in Richtung ihres alten Kin-
derzimmers geht. Dabei kommen sie an meinem Arbeitszimmer vorbei, schauen hinein und bleiben ab-
rupt stehen. Beinahe gleichzeitig drehen sie sich um
und fragen: „Papa, wieso hast du wieder einen
Hamster?"

Danke!

Ich danke **meiner Frau** für die Zeit, die sie mir zum Schreiben des Buches schenkte. Für die vielen Dinge des Alltags, die sie mir abnahm. Für die Geduld, das Lesen der zahlreichen Versionen der einzelnen Kapitel und für die vielen Verbesserungsvorschläge. Ohne Dich, liebe Tanja, gäbe es unsere Geschichte nicht. Danke Dir dafür!

Ich danke meiner lieben Freundin und Kollegin **Barbara Rademacher** für das Korrekturlesen und ihren wertvollen Blick von außen. Ohne Dich, liebe Barbara, hätte das Buch mehr Fehler und so manche Stellen wären nicht stimmig. Danke Dir dafür!

Ich danke meinem Manager **Alexander von Spreti**, der mich an einem feucht-fröhlichen Abend in Berlin auf die Idee gebracht hat, dieses Buch zu schreiben. Ohne Dich, lieber Alex, gäbe es dieses Buch nicht. Danke Dir dafür!

Ich danke meinen Entdeckern **Steffi und Frank Pehlgrimm** für die immer inspirierenden Gespräche. Von Frank ist auch die Idee des Buch-Endes. Ohne

Dich, lieber Frank, gäbe es das letzte Kapitel so nicht. Danke Dir dafür!

Ich danke **Sabine Kerner** für die Gestaltung des Umschlags und für die Geduld, die sie dabei mit mir hatte. Ohne Dich, liebe Sabine, wäre der Hamster nie so schön in Szene gesetzt worden. Danke Dir dafür!